At the Bay
and Other Short Stories

Tableau des signes phonétiques

1. VOYELLES

i:	leaf	ɒ	not
ɪ	sit	ɔ:	ball
e	bed	u	book
ə	actor	u:	moon
æ	cat	ʌ	duck
ɑ:	car	ɜ:	bird

Le signe : indique qu'une voyelle est **allongée**.

2. DIPHTONGUES

eɪ	day	aʊ	now
aɪ	buy	ɪə	here
ɔɪ	boy	eə	there
əʊ	boat	ʊə	poor

3. CONSONNES

- Les consonnes p, b, t, d, k, m, n, l, r, f, v, s, z, h, w conservent en tant que signes phonétiques leur valeur sonore habituelle.
- Autres signes utilisés :

g	game	θ	thin
ʃ	ship	ð	then
tʃ	chain	ʒ	measure
dʒ	Jane	j	yes
ŋ	long		

4. ACCENTUATION

ʼ accent unique ou principal, comme dans **actor** [ˈæktə]

, accent secondaire, comme dans **geography** [dʒɪˌɒɡrəfɪ]

Référence : Daniel JONES, **English Pronouncing Dictionary,**
14ᵉ édition revue par A.C. GIMSON (London, Dent, 1977).

LES LANGUES MODERNES / BILINGUE
Série anglaise dirigée par Pierre Nordon

KATHERINE MANSFIELD

At the Bay
and Other Short Stories

Sur la baie
et autres nouvelles

Traduction et notes de Magali Merle
Agrégée de l'Université

Enregistrement sur cassette

Le Livre de Poche

Sommaire

Katherine Mansfield
et la Nouvelle-Zélande

La petite fille, jambes nues, gigote sur un grand lit blanc, en attendant, tous stores baissés, la fin des heures caniculaires ; la nuit, toutes fenêtres ouvertes, elle entend craquer la brousse, feuler la mer et crier les petits hiboux morepork ; suffoquant de chaleur, elle se débraille en classe ; en compagnie de ses sœurs et de ses petits cousins, elle dévale une dune, se déshabille sur la plage et court à l'onde du Pacifique : qu'a-t-elle de commun avec une petite Londonienne de même condition sociale, sa compatriote pourtant, infiniment lointaine, en cette fin de siècle, en cette fin de règne victorien ?

Une enfance pleine de coquillages irisés, de fougères arborescentes, de foisonnantes colonnes de nuages roses, de senteurs d'eucalyptus, cela se vit comme toute enfance, intensément si l'amour de la vie aiguillonne votre corps vigoureux, sans la conscience que, dans l'adversité, on sera riche d'un paradis.

C'est en conquérante que la jeune « coloniale » de quinze ans arrive à Londres (1903). Nulle nostalgie incapacitante ne l'habite. La mère-patrie est froide et grise, soit, mais riche de tant d'esprits brillants, de professeurs envoûtants, et la littérature est là qui s'offre à l'étude et à la découverte passionnée.

Robuste, gourmande de la vie, remarquablement libre de préjugés, douée d'ardeur intellectuelle et physique, la jeune fille va de l'avant, impavide et

5

pionnière. Elle accapare, enregistre, assimile sans jamais s'assimiler, forte déjà du sentiment de non-appartenance qui symbolisera sa vie et déterminera sa conception de l'écriture.

Le retour au bercail, études terminées (1906), se fait sans enthousiasme. Que sont les grands espaces, les vents fous, les sables dorés au regard des infinis de l'art, de l'imaginaire ? L'énergie créatrice, la passion de l'écriture, se sentent à l'étroit dans l'île. L'audacieuse — et injuste — Kate se prend de haine pour tout ce qui l'entoure et l'étouffe : les « kiwis » lourdauds, la famille castratrice ; étrangère déjà, elle forme le dessein de repartir pour l'Angleterre (elle s'embarquera en 1908) vers la vraie vie du travail créateur.

Inquiet pour sa perverse et inquiétante fille, soucieux aussi de la retenir dans l'île, son père organise pour elle et lui offre un voyage en camp volant, en compagnie d'amis, dans l'île nord. De cette équipée il ne reste rien, sinon quelques lignes dans les lettres et le *Journal*. Preuve que l'exotisme en soi n'a jamais séduit Katherine et que la Nouvelle-Zélande ne surgira, souveraine, dans son œuvre, que lorsque son paysage intérieur l'exigera.

Le refus est brutal. On peut y lire la fuite courageuse de l'écrivain en herbe devant la pauvreté réductrice de son milieu naturel. Mais la vie de la Nouvelle Femme dans le vieux continent n'est pas facile ; en 1911, Leslie rend visite à Kass et tous deux s'enivrent de leurs souvenirs d'enfance ; quelle chaleur ressuscitent le frère et la sœur, quelle éblouissante beauté. La mort de Leslie (1915) disloque Kate ; pour se préserver, pour retrouver Leslie, elle accueille de tout son être le beau pays, refuge de la maturité, déjà douloureuse, déjà dégradée par les premières atteintes de la maladie, scintillant trésor d'enfance où s'épanouissaient le bonheur du groupe et les affections, où se transfigure la splendeur du monde.

La Nouvelle-Zélande représente donc, avant tout, pour la jeune femme exilée, solitaire, malade, habitée par la passion de son œuvre, le nid à jamais disparu, la santé triomphante dans une nature primitive et exaltante, l'affection[1], l'amour, la volupté d'être « entourée ». L'artiste s'insinuera dans cet univers magique, et au prix d'un travail d'une épuisante générosité, en arrachera quelques-unes de ses plus belles pages, sereines et lumineuses. Ainsi, l'ouverture de *Sur la baie* — page somptueuse évoquant les premiers matins du monde — a été écrite en 1921, au plus noir de la maladie et de la souffrance.

« Tout artiste se coupe une oreille et la cloue à sa porte afin que les autres viennent crier dedans » *(Journal)*. Katherine Mansfield a crié ses pages néo-zélandaises à sa propre oreille en taisant, avec quel courage, les souffrances de sa mutilation.

M. M.

1. « J'ai par-dessus tout le désir d'écrire sur l'amour familial » (1921).

AT THE BAY

SUR LA BAIE

I

Very early morning[1]. The sun was not yet risen, and
the whole of Crescent Bay was hidden under a white sea-
mist. The big bush-covered hills at the back were smother-
ed. You could not see where they ended and the paddocks
and bungalows began. The sandy road was gone and the
paddocks and bungalows the other side of it; there were no
white dunes covered with reddish grass beyond them; there
was nothing to mark which was beach and where was the
sea. A heavy dew had fallen. The grass was blue[2]. Big
drops hung on the bushes and just did not fall[3]; the silvery,
fluffy toi-toi[4] was limp on its long stalks, and all the
marigolds and the pinks in the bungalow gardens were
bowed to the earth with wetness. Drenched were the cold
fuchsias, round pearls of dew lay on the flat nasturtium
leaves. It looked as though the sea had beaten up softly in
the darkness, as though one immense wave had come
rippling, rippling—how far? Perhaps if you had waked up
in the middle of the night you might have seen a big fish
flicking in at the window and gone again...

Ah-Aah! sounded the sleepy sea. And from the bush
there came the sound of little streams flowing, quickly,
lightly, slipping between the smooth stones, gushing into
ferny basins and out again[5];

---

1. Voici une des plus longues nouvelles de K.M. — et des plus
talentueuses. Elle met en scène la famille Burnell, que l'on retrouve
dans d'autres textes, toujours avec le même bonheur. K.M. serait-elle
parvenue, au cours d'une vie plus longue, à écrire un roman, son vœu le
plus cher? En tout cas, c'est la famille Burnell, certainement, qui
l'aurait menée vers ce but.

2. **blue**: le paysage est cotonneux, blanc, bleu. La description par la
négation est très efficace, cf. un célèbre poème de Thomas Hood
(1799-1845) où tout est négation: No sun - no moon! — No morn - no
noon — No dawn - no dusk - no proper time of day — No shade, no
shine, no butterflies, no bees — No fruits, no flowers, no leaves, no
birds, — November.

De très bonne heure, le matin... Le soleil n'était pas encore levé, et la Baie du Croissant tout entière était enfouie sous la blancheur d'une brume marine. Les grandes collines couvertes de broussaille étaient encapuchonnées. On ne pouvait voir où elles finissaient, où commençaient enclos et bungalows. La route sablonneuse avait disparu, ainsi que les pâturages et les bungalows de l'autre côté ; il n'y avait plus de dunes blanches tapissées d'herbe rougeâtre, au-delà ; rien ne venait signaler ce qui était la grève, ni indiquer où se trouvait la mer. Une rosée abondante était tombée. L'herbe était bleue. De lourdes gouttes s'accrochaient aux buissons, à la limite extrême de la chute ; le toi-toi argenté et pelucheux était tout ramolli sur ses longues tiges, et l'humidité avait incliné jusqu'à terre tous les soucis et les œillets des jardins. Trempés, les froids fuchsias ; de rondes perles de rosée reposaient sur les feuilles plates des capucines. On eût dit que la mer avait doucement louvoyé vers la terre dans les ténèbres, qu'une vague immense était venue clapoter, clapoter... jusqu'où ? Peut-être, en se réveillant au milieu de la nuit, on aurait pu apercevoir un gros poisson donner un petit coup à la fenêtre et disparaître aussitôt...

Ah... ah ! exhalait la mer ensommeillée. Et de la brousse surgissait le bruit de ruisselets qui coulaient, vifs, légers, glissaient entre les pierres lisses, plongeaient en bouillonnant dans des vasques tapissées de fougères, en jaillissaient ;

---

3. **did not fall** : tout est en suspens, comme la rosée. La nature attend le lever du soleil. Immobile, saturée d'eau, absolument silencieuse.

4. **toi-toi** : appelée aussi **toi-toi pampa** : *herbe qui pousse en épaisses touffes.*

5. **out again** : l'eau seule, discrètement, est en mouvement. L'éveil de la nature (également dans *L'Aloès,* ch. II) est décrit avec un art subtil, une sensibilité délicieuse.

and there was the splashing of big drops on large leaves, and something else—what was it?—a faint stirring and shaking, the snapping of a twig and then such silence that it seemed someone was listening.

Round the corner of Crescent Bay, between the piled-up masses of broken rock, a flock of sheep[1] came pattering. They were huddled together[2], a small, tossing, woolly mass, and their thin, stick-like legs trotted[3] along quickly as if the cold and the quiet had frightened them. Behind them an old sheep-dog, his soaking paws covered with sand, ran along with his nose to the ground, but carelessly, as if thinking of something else. And then in the rocky gateway the shepherd himself appeared. He was a lean, upright old man, in a frieze coat that was covered with a web of tiny drops[4], velvet trousers tied under the knee, and a wideawake[5] with a folded blue handkerchief round the brim. One hand was crammed into his belt, the other grasped a beautifully smooth yellow stick. And as he walked, taking his time, he kept up a very soft light whistling[6], an airy, far-away fluting that sounded mournful and tender. The old dog cut an ancient caper[7] or two and then drew up sharp, ashamed of his levity[8], and walked a few dignified paces by his master's side.

---

1. **sheep**: la première apparition de la vie : une sorte de symbole de la Nouvelle-Zélande.
2. **huddled together**: le troupeau ne bêle pas : l'impression de nature encore inhospitalière en est renforcée.
3. **trotted**: le petit martèlement est audible dans le choix des mots ; allitération en **t**, **k**, mêlée de **l** plus laineux.
4. **drops**: l'humidité ambiante est rappelée par **soaking** et par le **web of tiny drops**.
5. **wideawake**: littéralement : *bien éveillé, les yeux grands ouverts*. Par extension facétieuse, se dit d'un chapeau de feutre mou à larges bords et fond sans profondeur. Avec un jeu de mots sur **nap**: *poil du feutre,* et *petit somme*. Ce chapeau, **having no nap**, est **wideawake**...

il y avait aussi le clapotement de larges gouttes sur les grandes feuilles, et autre chose encore — mais quoi ? —, un vague frémissement, une secousse ténue, le bruit sec d'une brindille qui se brise, suivi d'un silence tel qu'on avait l'impression d'y sentir quelqu'un aux aguets.

Tournant le coin de la Baie du Croissant, parmi les amoncellements de bris de roc, un troupeau de moutons s'avança, dans un crépitement de petits pas. Ils étaient blottis les uns contre les autres, petite masse laineuse ballottante, et leurs pattes minces, semblables à des baguettes, trottinaient vivement comme si le froid et le silence les avaient effrayés. À leur suite, un vieux chien de berger, ses pattes trempées couvertes de sable, courait, le museau contre terre, mais négligemment, comme s'il pensait à autre chose. Puis, dans la voûte rocheuse, s'encadra le berger en personne. C'était un vieil homme maigre et droit, vêtu d'une veste de ratine quadrillée d'un réseau de fines gouttelettes, d'un pantalon de velours attaché sous le genou, et coiffé d'un grand feutre avec un mouchoir bleu plié autour du bord. Il avait une main fourrée dans sa ceinture, l'autre étreignait un bâton jaune magnifiquement poli. Et tout en marchant, à pas tranquilles, il filait un léger sifflement très doux, un son flûté aérien, lointain, aux résonances mélancoliques et tendres. Le vieux chien esquissa une de ses gambades d'antan, deux peut-être, puis s'arrêta net, honteux de sa frivolité et fit au côté de son maître quelques pas empreints de dignité.

---

6. **whistling** : le premier son véritable, sur fond de crépitement de pattes, est ce sifflement, qui surgit magnifiquement dans le grand silence cotonneux.

7. **caper** : (de cabriole, capriole). Signifie aussi : *câpre*.

8. **levity** est différent de **lightness, nimbleness,** *légèreté* au sens propre.

The sheep ran forward in little pattering[1] rushes; they began to bleat[2], and ghostly flocks and herds[3] answered them from under the sea. "Baa! Baaa!" For a time they seemed to be always on the same piece of ground. There ahead was stretched the sandy road with shallow puddles; the same soaking bushes showed on either side the same shadowy palings. Then something immense came into view; an enormous shock-haired[4] giant with his arms stretched out. It was the big gum tree[5] outside Mrs. Stubbs's shop, and as they passed by there was a strong whiff of eucalyptus[6]. And now big spots of light gleamed in the mist. The shepherd stopped whistling[7]; he rubbed his red nose and wet beard on his wet sleeve and, screwing up[8] his eyes, glanced in the direction of the sea. The sun was rising[9]. It was marvellous how quickly the mist thinned, sped away, dissolved from the shallow plain, rolled up from the bush and was gone as if in a hurry to escape; big twists and curls jostled and shouldered each other as the silvery beams broadened. The far-away sky— a bright, pure blue—was reflected in the puddles, and the drops, swimming along the telegraph poles, flashed into points of light. Now the leaping, glittering sea was so bright it made one's eyes ache[10] to look at it.

---

1. **pattering rushes**: le verbe **to patter** évoque un battement rapide et feutré, tel le bruit de la pluie sur une vitre.

2. **bleat**: l'atmosphère s'est détendue. Le chien a sautillé, les moutons commencent à bêler.

3. **flocks and herds**: la différence n'est pas grande, ni absolue. **Flock** est, en général, un troupeau de petits animaux ; **herd,** de gros bétail.

4. **shock**: bien entendu : *choc, heurt, impact.* Mais aussi : **shock of hair**: *tignasse.*

5. **gum tree**: effet de brume. Ce *gommier,* on le retrouve plus tard ; la bonne, apeurée de sa solitude sur la route, l'interpelle (section VIII). Expression familière : **to be up a gum tree**: *être dans le pétrin.*

6. La première odeur du jour : *l'eucalyptus* [juko'liptəs].

7. **stopped whistling**: *s'arrêta de siffler ;* **stopped to whistle**: *s'arrêta pour siffler.*

Les moutons avançaient, par petites courses précipitées, en tricotant des pattes ; ils se mirent à bêler et des troupes et troupeaux fantomatiques leur répondirent de sous la mer. «Bêê ! Bê...ê...ê !» Pendant un temps, ils eurent l'air d'évoluer constamment sur la même parcelle de terrain. Là devant, s'étendait la route sablonneuse avec des flaques superficielles. Les mêmes buissons saturés d'eau s'alignaient de chaque côté des mêmes palissades noyées d'ombre. Puis surgit quelque chose d'immense ; un géant énorme, couronné d'une tignasse, les bras étendus. C'était le gros gommier devant la boutique de Mrs. Stubbs, et en passant ils humèrent une forte bouffée d'eucalyptus. À présent, de grosses trouées de lumière luisaient dans la brume. Le berger cessa de siffler ; il frotta son nez rouge et sa barbe humide sur sa manche mouillée et, plissant les yeux, lança un regard dans la direction de la mer. Le soleil se levait. C'était magnifique, de voir à quelle vitesse la brume s'éclaircissait, se dissipait, se dissolvait sur la basse plaine, s'élevait en volutes sur la brousse et disparaissait à la vue comme si elle avait hâte de fuir ; de grandes torsades et spirales se bousculaient, se repoussaient l'une l'autre tandis que s'élargissaient les rayons argentés. Le ciel lointain, d'un bleu lumineux et pur, se reflétait dans les flaques, et les gouttes d'eau, à la nage le long des poteaux télégraphiques, fulguraient soudain en points de lumière. À présent, la mer bondissante, étincelante, brillait d'un tel éclat que les yeux vous cuisaient, à la regarder.

---

8. **screwing up** : m. à m. *en vissant* (cf. **corkscrew** : *tire-bouchon*).

9. **rising** : en majesté. Retraite précipitée de la brume. La phrase abonde en verbes de fuite, de débandade, contrastant avec la souveraineté tranquille du soleil.

10. **ache** : ['eik].

The shepherd[1] drew a pipe, the bowl[2] as small as an acorn, out of his breast-pocket, fumbled for a chunk of speckled tobacco, pared[3] off a few shavings and stuffed the bowl. He was a grave, fine-looking old man. As he lit up and the blue smoke wreathed his head, the dog, watching, looked proud of him.

"Baa! Baaa!" The sheep spread out into a fan. They were just clear of the summer colony before the first sleeper turned over and lifted a drowsy head; their cry sounded in the dreams of little children... who lifted their arms to drag down, to cuddle the darling little woolly lambs[4] of sleep[5]. Then the first inhabitant appeared; it was the Burnells'[6] cat Florrie, sitting on the gatepost, far too early as usual, looking for their milk-girl. When she saw the old sheep-dog she sprang up quickly, arched her back, drew in her tabby[7] head, and seemed to give a little fastidious[8] shiver. "Ugh! What a coarse, revolting creature!" said Florrie. But the old sheep-dog, not looking up, waggled past[9], flinging out his legs from side to side. Only one of his ears twitched to prove that he saw, and thought her a silly young female[10].

The breeze of morning lifted in the bush and the smell of leaves and wet black earth mingled with the sharp smell of the sea. Myriads of birds were singing. A goldfinch[11] flew over the shepherd's head and, perching on the tiptop of a spray, it turned to the sun, ruffling its small breast feathers.

---

1. **shepherd**: [ˈʃepəd]. Le second **h** ne se prononce pas.
2. **bowl**: [boul]: *bol, coupe;* est également un *fourneau de pipe;* une *coupe* (de verre à pied); un *plateau* (de balance). Autre sens: *boule.* A **game of bowls**: *jeu de boules* (aux E.U: *quilles*).
3. **pare**: *rogner* (ongles); *éplucher* (fruit).
4. **lamb**: [ˈlaem]. Le **b** ne se prononce pas.
5. **of sleep**: mièvre, peut-être, mais charmant.
6. On se rappelle qu'un nom de famille peut, en anglais, prendre la marque du pluriel; pas en français.
7. **tabby**: *chat tigré, rayé; vieille fille acariâtre, vieille chipie.*

16

Le berger tira de sa poche de poitrine une pipe au fourneau de la taille d'un gland, fouilla à la recherche d'un cube de tabac moucheté, en rogna quelques copeaux et bourra le fourneau. C'était un vieillard grave et distingué. Tandis qu'il allumait sa pipe et que la fumée bleue lui enguirlandait la tête, le chien le contemplait avec un air de fierté. « Bêê ! Bê-ê-ê ! » Les moutons se déployèrent en éventail. Le premier dormeur ne s'était pas encore retourné, n'avait pas soulevé sa tête lourde de sommeil que, déjà, ils dépassaient la colonie estivale ; leur bêlement résonna dans les rêves des petits enfants... qui levèrent les bras pour attirer, pour dorloter les adorables petits agneaux laineux du sommeil. Puis le premier habitant fit son apparition ; c'était Florrie, la chatte des Burnell, installée sur le montant du portail, beaucoup trop en avance, comme d'habitude, à guetter leur laitière. À la vue du vieux chien de berger, elle se leva d'un bond rapide, fit le gros dos, rentra sa tête tigrée, et eut l'air de frémir d'un petit frisson de dégoût. « Pouah ! Quelle grossière et écœurante créature ! » dit Florrie. Mais le vieux chien de berger passa en frétillant sans lever les yeux, lançant les pattes d'un côté à l'autre. Seule, une de ses oreilles se contracta pour prouver qu'il avait l'œil, et qu'il la considérait comme une jeune petite sotte.

La brise matinale se leva dans la brousse et l'odeur de feuilles et de terre noire et humide se mêla à l'odeur piquante de la mer. Des myriades d'oiseaux chantaient. Un chardonneret vola par-dessus la tête du berger et, se penchant à l'extrême pointe d'une ramille, il se tourna vers le soleil, ébouriffant les petites plumes de sa poitrine.

---

8. **fastidious** : faux ami. Signifie : *difficile, exigeant, dégoûté. Fastidieux :* **tedious, tiresome.**

9. **to waggle** a le même sens que **to wag** *(agiter, remuer)* avec une nuance familière.

10. **female** : Colette n'aurait pas désavoué cette scène. K.M. professait une grande admiration pour notre Bourguignonne, mais souhaitait aller plus loin dans le rendu de la vérité.

11. **goldfinch** : un oiseau d'importation. Pl. : **goldfinches.**

And now they had passed the fisherman's hut, passed the charred-looking[1] little *whare*[2] where Leila the milk-girl lived with her old Gran. The sheep strayed over a yellow swamp and Wag[3], the sheep-dog, padded after, rounded them up and headed them for the steeper, narrower rocky pass that led out of Crescent Bay and towards Daylight Cove. "Baa! Baaa!" Faint the cry came as they rocked along the fast-drying road. The shepherd put away his pipe, dropping it into his breast-pocket so that the little bowl hung over. And straightway the soft airy whistling began again[4]. Wag ran out along a ledge of rock after something that smelled, and ran back again disgusted. Then pushing, nudging, hurrying, the sheep rounded the bend and the shepherd followed after out of sight.

II

A few moments later the back door of one of the bungalows opened, and a figure in a broad-striped bathing-suit flung down the paddock, cleared the stile, rushed through the tussock grass[5] into the hollow, staggered up the sandy hillock, and raced[6] for dear life[7] over the big porous stones, over the cold, wet pebbles, on to the hard sand[8] that gleamed like oil.

---

1. **char**: *femme de ménage; noir animal.*
2. **whare**: *habitation maorie.* Ainsi, **whare ariki**: *la maison du chef;* **whare kahu**: *la maternité.*
3. **wag**: the dog wags its tail: *frétille de la queue.*
4. **whistling**: l'instant solennel, du lever du soleil, avec pipe, est passé. Le sifflement reprend.
5. **tussock grass**: *l'herbe indigène de Nouvelle-Zélande;* les zones herbeuses furent les premières envahies par les colons européens. Les fermiers australiens immigrés brûlèrent le tussock pour semer de plus riches herbages.

Ils avaient maintenant dépassé la cabane du pêcheur, puis la petite case à l'aspect carbonisé où Leila, la jeune laitière, vivait avec sa vieille Mamé. Les moutons s'égaillèrent sur un marécage jaune et Wag, le chien de berger, trotta à leur suite, le pas sourd, les rassembla et les rabattit vers le défilé rocheux plus escarpé, plus étroit, qui menait de la Baie du Croissant à la Crique du Point du Jour. «Bêê! Bê-ê-ê!» Faible, parvenait leur cri, tandis qu'ils suivaient cahin-caha la route qui séchait vite. Le berger remisa sa pipe, la glissant dans sa poche de poitrine de façon à laisser dépasser le petit fourneau. Et aussitôt, reprit le doux sifflottement aérien. Wag se lança le long d'une saillie rocheuse à la poursuite de quelque odeur, et revint bien vite, dégoûté. Puis dans une mêlée, une bousculade précipitée, les moutons prirent le tournant, le berger les suivit et disparut avec eux.

2

Quelques instants plus tard, la porte de derrière de l'un des bungalows s'ouvrit, une silhouette en costume de bain à larges rayures traversa l'enclos comme une flèche, franchit l'échalier, se précipita parmi l'herbe touffue, plongea dans le creux de terre, remonta en trébuchant le mamelon sablonneux, et se lança dans une course folle par-dessus les gros cailloux poreux, par-dessus les galets froids et humides, jusqu'au sable dur qui luisait comme de l'huile.

---

6. **raced**: notons le choix des verbes, qui nous avertit de la personnalité du baigneur. Tous ses mouvements se font "en force" et en vitalité brusque.

7. **to fly, to run, for dear life**: *s'enfuir à toutes jambes.*

8. **sand**: les trois stades de roche sont bien vus. Plus tard, dans la journée, les **pebbles** seront **burning**.

Splish-Splosh! Splish-Splosh! The water bubbled round his legs as Stanley[1] Burnell waded out exulting. First man[2] in as usual! He'd beaten them all again. And he swooped down to souse his head and neck.

"Hail, brother! All hail, Thou Mighty One!" A velvety bass voice[3] came booming over the water.

Great Scott! Damnation[4] take it! Stanley lifted up to see a dark head bobbing far out and an arm lifted. It was Jonathan Trout[5]—there before him! "Glorious morning!" sang the voice.

"Yes, very fine!" said Stanley briefly. Why the dickens[6] didn't the fellow stick to his part of the sea? Why should he come barging[7] over to this exact spot? Stanley gave a kick, a lunge and struck out, swimming overarm[8]. But Jonathan was a match for him. Up he came, his black hair sleek on his forehead, his short beard sleek[9].

"I had an extraordinary dream last night!" he shouted.

What was the matter with the man? This mania for conversation irritated Stanley beyond words. And it was always the same—always some piffle about a dream he'd had, or some cranky idea he'd got hold of, or some rot he'd been reading. Stanley turned over on his back and kicked with his legs till he was a living water-spout. But even then...

---

1. **Stanley** est le nom de jeune fille de la grand-mère paternelle de K.M.

2. **first man**: il y a du pionnier chez cet homme-là, premier le matin, le premier matin du monde.

3. **bass voice**: le modèle de ce personnage est le beau-frère de la mère de K.M., "Uncle Val" (Valentine Waters). Il avait ce travers agaçant d'adresser aux dames de ridicules propos théâtraux, dans le style des comédies shakespeariennes.

4. **damnation**: K.M. donne à entendre les deux discours intérieurs en succession. L'omniprésence effacée, ou l'omniabsence vigilante, c'est sa grande contribution à la littérature, sa grande innovation.

5. **Trout**: c'était bien Jonathan Trout le premier levé; il dira à son petit garçon qu'il a entendu les moutons passer (section IX).

Flic-floc ! Flic-floc ! L'eau bouillonnait autour de ses jambes tandis que Stanley Burnell avançait en pataugeant, au comble de la jubilation. Premier dans l'eau, comme d'habitude ! Il les avait tous battus, une fois de plus. Et sans faire ni une ni deux, il se pencha pour asperger d'eau sa tête et sa nuque.

« Salut à toi, frère ! Mille saluts, Toi, ô Puissant ! » Une voix de basse roulait ses sonorités de velours au-dessus des eaux.

Bonté divine ! Enfer et damnation ! Stanley se releva, pour apercevoir, dans le lointain, une tête sombre qui dansait sur l'eau, et un bras levé. C'était Jonathan Trout — déjà là, avant lui ! « Matinée sensationnelle ! chanta la voix.

— Oui, très belle », dit brièvement Stanley. Pourquoi diantre ce gars-là ne s'en tenait-il pas à sa portion de mer ? Pourquoi fallait-il qu'il vienne jusqu'ici, se fourrer précisément dans ce coin ? Stanley prit son élan, d'un coup de pied, s'allongea sur l'eau et s'élança à l'indienne. Mais Jonathan était à sa mesure. Il le rattrapa, ses cheveux noirs luisant sur son front, sa courte barbe, luisante.

« J'ai fait un rêve extraordinaire, cette nuit ! » cria-t-il.

Mais qu'est-ce qu'il avait, ce type-là ? Cette manie de conversation irritait Stanley plus qu'il n'aurait su dire. Et c'était toujours pareil, toujours quelque niaiserie à propos d'un rêve qu'il avait fait, ou quelque idée saugrenue qu'il s'était fourrée dans le crâne, ou quelque ânerie qu'il avait lue. Stanley se retourna sur le dos et, battant l'eau de ses jambes, finit par se transformer en gargouille vivante. Mais même alors...

---

6. **dickens** : juron, mais de bon ton ; vocabulaire familier, interjections, nous décrivent Stanley "à son insu", plus subrepticement qu'une analyse.

7. **fellow, barge, piffle, cranky, rot** : vocabulaire familier.

8. L'**overarm** était la nage sportive en vigueur. On ne pratiquait pas encore le crawl.

9. **sleek** : un peu de jalousie pour le bel homme brun à la voix de velours ?

"I dreamed I was hanging over a terrifically high cliff, shouting to someone below." You would be! thought Stanley. He could stick[1] no more of it. He stopped splashing. "Look here, Trout," he said, "I'm in rather a hurry this morning[2]."

"You're WHAT?" Jonathan was so surprised—or pretended to be—that he sank under the water, then reappeared again blowing.

"All I mean is," said Stanley, "I've no time to—to—to fool about[3]. I want to get this over. I'm in a hurry. I've work to do this morning—see?"

Jonathan was gone before Stanley had finished. "Pass, friend!" said the bass voice gently, and he slid away through the water with scarcely a ripple... But curse the fellow! He'd ruined Stanley's bathe[4]. What an unpractical[5] idiot the man was! Stanley struck out to sea again, and then as quickly swam in[6] again, and away he rushed up the beach. He felt cheated[7].

Jonathan stayed a little longer in the water. He floated[8], gently moving his hands like fins, and letting the sea rock his long, skinny body. It was curious, but in spite of everything he was fond of Stanley Burnell. True, he had a fiendish[9] desire to tease him sometimes, to poke fun at him, but at bottom he was sorry for the fellow. There was something pathetic in his determination to make a job of everything[10].

---

1. **stick,** plus vigoureux que **stand,** est familier. **Stick it** : *tiens bon, tiens le coup.* **You can't stick him** : *tu ne peux pas le sentir.*

2. **... this morning** : Burnell fonce. C'est l'ami des situations claires.

3. **to fool about** : c'est le terme le moins blessant que Stanley a trouvé.

4. **bath,** dans une baignoire ; **bathe,** dans la mer (ou une rivière). [ba:θ] ; [beið].

5. **unpractical : practical joke** : *farce.*

6. **in** : *vers la terre* (inland).

« J'ai rêvé que j'étais suspendu au-dessus d'une falaise affreusement haute, en train de crier à quelqu'un au-dessous. » C'est bien de toi ! pensa Stanley. Il en avait plein le dos. Il s'arrêta d'éclabousser. « Écoute un peu, Trout, dit-il, je suis plutôt pressé, ce matin.

— Tu es QUOI ? » La surprise — vraie ou fausse — de Jonathan était telle qu'il se laissa couler sous l'eau, puis reparut en soufflant.

« Tout ce que je veux dire, reprit Stanley, c'est que je n'ai pas de temps à perdre avec des... des... des pitreries. Je veux en finir. Je suis pressé. J'ai du travail à faire, ce matin... pigé ? »

Stanley parlait encore que Jonathan avait disparu. « Passez, ami ! » dit aimablement la voix de basse, et il s'éloigna en glissant dans l'eau presque sans en rider la surface... Mais maudit soit le bonhomme ! Il avait gâché le bain de Stanley. Quel lamentable idiot, ce type-là ! Stanley repartit vers le large, puis revint à la nage aussi vite et s'en fut, remontant la grève au pas de course. Il se sentait floué.

Jonathan resta un peu plus longtemps dans l'eau. Il faisait la planche, agitant doucement ses mains comme des nageoires, laissant la mer bercer son long corps maigrelet. C'était bizarre, mais en dépit de tout, il aimait bien Stanley Burnell. C'est vrai, il lui prenait parfois une envie satanique de le taquiner, de se payer sa tête, mais dans le fond, il le plaignait, ce gars-là. Il y avait quelque chose de pathétique dans sa résolution de tout considérer comme un boulot.

---

7. **cheated** : toute la scène, vécue par Stanley, a été menée tambour battant.

8. **floated** : la pose de Jonathan révèle tout de suite une autre attitude devant la vie. Il flotte, il rêve, il réfléchit, sa sensualité est moins primaire, c'est un hédoniste.

9. **fiendish** : ['fi:ndiʃ].

10. **everything** : cette analyse de l'un par l'autre évite à l'auteur de montrer le bout de sa plume.

You couldn't help feeling he'd be caught out one day, and then what an almighty cropper[1] he'd come! At that moment an immense wave lifted Jonathan, rode past him, and broke along the beach with a joyful sound. What a beauty! And now there came another. That was the way to live—carelessly[2], recklessly, spending oneself. He got on to his feet and began to wade towards the shore, pressing his toes into the firm, wrinkled sand. To take things easy, not to fight against the ebb and flow of life, but to give way to it—that was what was needed. It was this tension that was all wrong[3]. To live—to live! And the perfect morning, so fresh and fair, basking[4] in the light, as though laughing at its own beauty, seemed to whisper, "Why not?"

But now he was out of the water Jonathan turned blue with cold. He ached all over; it was as though someone was wringing the blood out of him. And stalking up the beach, shivering, all his muscles tight, he too felt his bathe was spoilt[5]. He'd stayed in too long.

III

Beryl[6] was alone in the living-room when Stanley appeared, wearing a blue serge suit, a stiff collar and a spotted tie. He looked almost uncannily[7] clean and brushed; he was going to town for the day.

---

1. **to come a cropper**: *ramasser un gadin, boire un bouillon.* Quand il est seul, Trout ne dédaigne pas le langage familier.

2. **carelessly**: K.M. goûtait avec ferveur l'instant qui passe, tout en donnant, au dire de ses contemporains, l'impression d'être ailleurs.

3. **wrong**: cette exaltation où le porte la vague finira, de façon typiquement mansfieldienne, dans une "chute", un anticlimax.

4. **as Trout is basking in the sea.**

5. Le bain de Stanley était **ruined.** Celui de Trout est **spoilt.** En outre, Stanley souffrait d'un sentiment d'injustice et de frustration. Pas Jonathan.

On ne pouvait s'empêcher de sentir qu'il se ferait avoir un jour, et alors, quel sacré cassage de gueule ! À cet instant, une vague immense souleva Jonathan, poursuivit sa chevauchée et vint briser sur la plage avec un bruit joyeux. Quelle splendeur ! Une autre vint à sa suite. Voilà comment il fallait vivre — avec insouciance, avec témérité, sans se ménager. Il se remit debout et entreprit de regagner le rivage en pataugeant dans l'eau et en enfonçant ses orteils dans les rides du sable ferme. En prendre à son aise, ne pas batailler contre le flux et le reflux de la vie, mais s'y abandonner, voilà ce qu'il fallait. C'est cette tension qui fichait tout par terre. Vivre — vivre ! Et la parfaite matinée, si fraîche, si fringante, s'épanouissant dans la lumière, comme riant à sa propre beauté, semblait murmurer : « Pourquoi pas ? »

Mais à présent qu'il était sorti de l'eau, Jonathan devint bleu de froid. Il avait mal partout ; comme si on le tordait pour exprimer le sang de son corps. Et remontant la grève à grands pas, frissonnant, tous ses muscles tétanisés, lui aussi il sentit que son bain était gâché. Il s'était trop attardé dans l'eau.

3

Beryl était seule dans la grande pièce quand Stanley fit son apparition, en costume de serge bleue, col empesé, cravate à pois. Il avait l'air presque anormalement propre et bien brossé ; il se rendait en ville pour la journée.

---

6. Voici **Beryl,** dont le modèle est "Belle Dyer", la jeune sœur de Annie, mère de Kass, qui fait partie de la maisonnée. C'est la belle-sœur de Stanley.

7. **uncannily :** il ne doit pas être de bonne humeur, après la scène de la plage (dont Beryl ignore tout ; et dont K.M. fait mine de ne nous avoir rien dit, puisqu'elle prend soin de préciser que Stanley va en ville, ce que nous savons déjà).

Dropping into his chair, he pulled out his watch and put it beside his plate.

"I've just got twenty-five minutes," he said. "You might go and see if the porridge is ready, Beryl[1]?"

"Mother's just gone for it," said Beryl. She sat down at the table and poured out his tea.

"Thanks!" Stanley took a sip. "Hallo!" he said in an astonished voice, "you've forgotten the sugar."

"Oh, sorry!" But even then Beryl didn't help him; she pushed the basin[2] across. What did this mean[3]? As Stanley helped himself his blue eyes widened; they seemed to quiver. He shot a quick glance at his sister-in-law and leaned back.

"Nothing wrong, is there?" he asked carelessly, fingering his collar.

Beryl's head was bent; she turned her plate in her fingers.

"Nothing," said her light voice. Then she too looked up, and smiled at Stanley. "Why should there be?"

"O-oh! No reason at all as far as I know[4]. I thought you seemed rather[5]—"

At that moment the door opened and the three little girls appeared, each carrying a porridge plate. They were dressed alike in blue jerseys and knickers[6]; their brown legs were bare[7], and each had her hair plaited and pinned up in what was called a horse's tail. Behind them came Mrs. Fairfield[8] with the tray.

---

1. **Beryl**: Stanley a l'art de mobiliser son monde.

2. **pushed**: ce demi-geste, devenu somme toute banal, est une des mille petites "effronteries" de la "Nouvelle Femme", qui tente d'exister.

3. **mean**: pour Stanley, ce "manquement", c'est le signe que quelque chose ne va pas, chez Beryl, évidemment.

4. **I know**: ces petites pochades sont toujours très visuelles. K.M. était bonne comédienne, et connut un certain succès en jouant des sketches, saynètes, etc. notamment à Londres, en 1908, à Beauchamp Lodge; elle arrondissait ainsi ses fins de mois.

Il s'affala sur sa chaise, sortit sa montre et la posa à côté de son assiette.

« J'ai vingt-cinq minutes, tout juste, dit-il. Tu pourrais aller voir si le porridge est prêt, Beryl?

— Maman vient d'y aller », répondit Beryl. Elle prit place à la table et lui versa son thé.

« Merci! » Stanley but une petite gorgée. « Tiens! dit-il d'une voix étonnée, tu as oublié le sucre.

— Oh, désolée! » Mais Beryl ne le servit pas pour autant; elle lui avança le sucrier. Qu'est-ce que cela voulait dire? Tandis qu'il se servait, les yeux bleus de Stanley s'agrandirent; un frémissement sembla les troubler. Il lança un rapide coup d'œil à sa belle-sœur et se renversa en arrière.

« Rien qui cloche, si? » demanda-t-il, l'air de rien, en tripotant son col.

Beryl avait la tête baissée; elle fit tourner son assiette entre ses doigts.

« Rien », dit sa voix légère. Puis, elle aussi, leva les yeux et sourit à Stanley. « Pourquoi y aurait-il un pépin?

— Oh... pour rien du tout, que je sache. Je trouvais que tu avais l'air plutôt... »

À ce moment, la porte s'ouvrit et les trois petites filles apparurent, portant chacune une assiettée de porridge. Elles étaient habillées pareil, de chandails bleus et de culottes bouffantes; leurs jambes brunes étaient nues, et elles avaient toutes trois les cheveux nattés et relevés par des épingles en queue de cheval, comme on disait. À leur suite venait Mrs. Fairfield avec le plateau.

---

5. **rather :** ... juste au moment où notre psychologue allait se fourvoyer.

6. **knickers :** ['nikəz], abréviation de **knickerbockers,** à la fois familier et vieilli. Cf. la fameuse chanson des années 30 :
"Elle avait mis sa robe blanche
Et lui, son knickerbocker à carreaux..."

7. **bare :** impensable, à l'époque, dans la "mère-patrie"...

8. **Fairfield,** c'est la traduction de Beauchamp, le nom de famille.

"Carefully, children," she warned. But they were taking the very greatest care. They loved being allowed to carry things. "Have you said good-morning to your father?"

"Yes, grandma[1]." They settled themselves on the bench opposite Stanley and Beryl.

"Good morning, Stanley!" Old Mrs. Fairfield gave him his plate.

"Morning[2], mother! How's the boy[3]?"

"Splendid! He only woke up once last night. What a perfect morning!" The old woman paused, her hand on the loaf of bread, to gaze out of the open door into the garden. The sea sounded. Through the wide-open window streamed the sun on to the yellow varnished walls and bare floor. Everything on the table flashed and glittered. In the middle there was an old salad bowl filled with yellow and red nasturtiums[4]. She smiled, and a look of deep content shone in her eyes.

"You might *cut*[5] me a slice of that bread, mother," said Stanley. "I've only twelve and a half minutes before the coach passes. Has anyone given my shoes to the servant girl[6]?"

"Yes, they're ready for you[7]." Mrs. Fairfield was quite unruffled.

"Oh, Kezia! Why are you such a messy child!" cried Beryl despairingly.

---

1. **grandma**: c'est Mrs. Fairfield, la grand-mère, qui s'occupe des enfants. Il en alla de même dans la famille Beauchamp. Mrs. Dyer, après avoir eu neuf enfants, s'occupa des cinq enfants de sa fille Annie Dyer, épouse Beauchamp.

2. **morning**: Stanley est trop pressé pour dire **Good morning**.

3. **the boy**, c'est le dernier-né, chez les Burnell, tant attendu après les trois filles. De même, chez les Beauchamp, Leslie Heron vint après quatre filles.

4. **... nasturtiums**: cette description intérieure prend le temps de profiter d'elle-même. Et dire que Stanley est si pressé ! C'est bien le moment de muser... La réaction ne se fait pas attendre. Et pourtant, rien n'est dit, tout est suggéré : K.M., toujours insatisfaite, a mille fois atteint son but.

« Bien attention, les enfants », recommanda-t-elle. Mais elles ne pouvaient pas faire plus attention. Elles adoraient qu'on les laissât porter des choses. « Avez-vous dit bonjour à votre père ?

— Oui, bonne-maman. » Elles s'installèrent sur le banc, en face de Stanley et de Beryl.

« Bonjour, Stanley ! » La vieille Mrs. Fairfield lui tendit son assiette.

« 'Jour, mère ! Comment va le petit ?

— À merveille ! Il ne s'est réveillé qu'une fois, cette nuit. Quelle matinée parfaite ! » La vieille dame marqua un temps d'arrêt, la main posée sur la tourte de pain, pour contempler le jardin, par la porte ouverte. On entendait le bruit de la mer. Par la fenêtre grande ouverte entrait à flots le soleil, inondant jusqu'aux murs vernis jaunes et au plancher nu. Tout sur la table étincelait et scintillait. En son milieu trônait un vieux saladier rempli de capucines jaunes et rouges. Elle sourit et un air de satisfaction profonde brilla dans ses yeux.

« Si vous me coupiez une tranche de ce pain, mère, dit Stanley. Il ne me reste que douze minutes et demie avant le passage de la diligence. Quelqu'un a-t-il donné mes chaussures à la bonne ?

— Oui, elles sont prêtes. » Mrs. Fairfield ne perdit pas une once de son calme.

« Oh, Kezia ! Pourquoi es-tu un tel goret ? s'écria Beryl d'un ton désespéré.

---

5. **might cut** : sous-entendu : au lieu de baguenauder.

6. **servant girl** : la mobilisation continue : Mrs. Fairfield, la bonne, les filles...

7. **... for you** : Mrs. Fairfield est la douceur même. Et elle en a vu d'autres...

"Me[1], Aunt Beryl?" Kezia stared at her. What had she done now? She had only dug a river down the middle of her porridge, filled it, and was eating the banks away[2]. But she did that every single morning, and no one had said a word up till now.

"Why can't you eat your food properly[3] like Isabel and Lottie[4]?" How unfair grown-ups are[5]!

"But Lottie always makes a floating island, don't you, Lottie[6]?"

"I don't," said Isabel[7] smartly. "I just sprinkle mine with sugar and put on the milk and finish it. Only babies play with their food."

Stanley pushed back his chair and got up.

"Would you get me those shoes, mother[8]? And, Beryl, if you've finished, I wish you'd cut down[9] to the gate and stop the coach. Run in to your mother, Isabel, and ask her where my bowler hat's been put. Wait a minute—have you children been playing with my stick?"

"No, father!"

"But I put it here," Stanley began to bluster[10]. "I remember distinctly putting it in this corner. Now, who's had it? There's no time to lose. Look sharp! The stick's got to be found."

---

1. **me**: I serait grammaticalement correct, mais la faute est très répandue, et chez un enfant, très pardonnable.

2. **away**: il y a quelque insolence dans cette description méthodique. Kezia n'a rien fait, en somme...

3. **properly**: *proprement,* dans le sens de : *comme il faut; avec propreté :* clearly.

4. **Lottie?**: Stanley avait peut-être raison, après tout : Beryl est bien énervée...

5. Beryl s'attaque souvent à Kezia. Ses contemporains ont souvent fustigé le caractère rancunier de la jeune K.M.

6. **Lottie** est un diminutif de Charlotte. Chez les Beauchamp, Charlotte (née un an avant Kathleen) avait pour diminutif : Chaddie.

7. **Isabel**: toujours chipie et parfaite.

— Moi, Tante Beryl?» Kezia la regarda avec des yeux ronds. Qu'avait-elle donc fait? Elle avait creusé une rivière tout du long au milieu de son porridge, l'avait remplie et était en train d'en manger les bords, et voilà tout. Mais ça, elle le faisait absolument tous les matins, sans s'attirer la moindre remarque de personne, jusqu'à présent.

«Pourquoi ne peux-tu pas manger convenablement, comme Isabel et Lottie?» L'injustice des grandes personnes!

«Mais Lottie fait toujours une île flottante, pas vrai, Lottie?

— Moi pas, intervint promptement Isabel. Ma bouillie, je la saupoudre simplement de sucre, je mets le lait dessus et je la finis. C'est bon pour les bébés, de jouer avec leur nourriture.»

Stanley repoussa sa chaise et se leva.

«Voudriez-vous me trouver ces chaussures, mère? Et, Beryl, si tu as fini, j'aimerais que tu coures jusqu'au portail et que tu fasses arrêter la diligence. Cours vite voir ta mère, Isabel, et demande-lui où on a mis mon chapeau melon. Une minute, dites-moi, les enfants, est-ce que vous vous êtes amusées avec ma canne?

— Non, papa!

— Mais je l'avais posée ici, se mit à tempêter Stanley. Je me rappelle clairement l'avoir mise dans ce coin. Alors, qui l'a prise? Il n'y a pas de temps à perdre. Dépêchez-vous! Cette canne doit se retrouver.»

---

8. **mother**: les petites discussions futiles, à table, ont le don d'agacer Stanley (cf. *L'Aloès*: une scène semblable provoque chez lui la même réaction). Passons aux choses sérieuses, semble-t-il dire.

9. **cut down**: familier ou archaïque.

10. **bluster**: le ton monte, la tornade va se déchaîner. Les dernières minutes seront redoutables. Le calme après la tempête en sera d'autant plus sensible, et apprécié.

Even Alice, the servant girl, was drawn into the chase. "You haven't been using it to poke the kitchen fire with by any chance?"

Stanley dashed into the bedroom where Linda was lying. "Most extraordinary thing. I can't keep a single possession to myself. They've[1] made away with my stick, now!"

"Stick, dear? What stick?" Linda's[2] vagueness on these occasions could not be real, Stanley decided. Would nobody sympathise with him[3]?

"Coach! Coach, Stanley!" Beryl's voice cried from the gate.

Stanley waved his arm to Linda. "No time to say good-bye!" he cried. And he meant that as a punishment to her[4].

He snatched his bowler hat, dashed out of the house, and swung down[5] the garden path. Yes, the coach was there waiting, and Beryl, leaning over the open gate, was laughing up at somebody or other just as if nothing had happened. The heartlessness of women[6]! The way they took it for granted it was your job to slave away for them while they didn't even take the trouble to see that your walking-stick wasn't lost[7]. Kelly trailed his whip across the horses.

"Good-bye, Stanley," called Beryl, sweetly and gaily. It was easy enough to say good-bye[8]! And there she stood, idle, shading her eyes with her hand.

---

1. **they**: comme dans la scène de la plage, Stanley est toujours victimisé. **"More sinned against than sinning"**, comme le roi Lear. Il n'est jamais responsable. C'est toujours la faute des autres.

2. Le modèle de **Linda** (*jolie,* en espagnol), c'est Annie Dyer, épouse Beauchamp, épouse fragile d'un mari robuste, mère démissionnaire.

3. **with him**: même Linda l'abandonne...

4. **punishment**: on verra, ce soir, qu'il compte utiliser au maximum cette petite bombe déposée le matin aux pieds de Liñda. Mais celle-ci saura la désamorcer, de main de maître.

5. **swung down**: les gestes de Stanley sont toujours très énergiques, très toniques. He **dashes in, snatches, dashes out, swings,** etc.

Même Alice, la bonne, fut entraînée dans la chasse. « Vous ne vous en êtes pas servie pour fourgonner le feu de la cuisine, par hasard ? »

Stanley entra en coup de vent dans la chambre où Linda était couchée. « Incroyable. Pas moyen de rester en possession d'un seul de mes objets personnels. Voilà qu'on a subtilisé ma canne !

— Ta canne, chéri ? Quelle canne ? » Le flou de Linda dans ces cas-là ne pouvait être authentique, décida Stanley. Personne n'allait donc compatir à ses malheurs ?

« La diligence ! La diligence, Stanley ! » cria la voix de Beryl depuis le portail.

Stanley fit un signe de bras à Linda. « Pas le temps de dire au revoir ! » lança-t-il. Dans son esprit, c'était là une façon de la punir.

Il s'empara brusquement de son melon, sortit de la maison comme une flèche et dévala l'allée du jardin. Oui, la diligence était bien là, qui attendait, et Beryl, penchée sur le portail ouvert, riait, le visage levé vers Pierre ou Paul, comme si de rien n'était. Le sans-cœur des femmes ! Cette façon de considérer comme allant de soi de vous voir trimer pour elles, alors qu'elles ne lèveraient pas un sourcil pour s'assurer que votre canne est toujours là. Kelly fit serpenter son fouet sur le dos du cheval.

« Au revoir, Stanley », lança Beryl, d'une voix gentille et enjouée. Facile, bien sûr, de dire au revoir ! Et elle restait plantée là, désœuvrée, à s'abriter les yeux de la main.

---

6. **of women** : pauvre Stanley, que de griefs, au moment du départ !

7. **wasn't lost** : c'est peu de dire que K.M. a un redoutable don d'ironie.

8. **good-bye** : il ne manque pas de finesse, Stanley, au milieu de ces femmes. C'est vrai que Beryl met un peu trop de gaîté dans son au revoir. Mais que lui reprocher ?

The worst of it was Stanley had to shout good-bye too, for the sake of appearances. Then he saw her turn, give a little skip and run back to the house. She was glad to be rid of him[1]!

Yes, she was thankful. Into the living-room she ran and called "He's gone!" Linda cried from her room: "Beryl! Has Stanley gone?" Old Mrs. Fairfield appeared, carrying the boy in his little flannel coatee[2].

"Gone?"

"Gone!"

Oh, the relief, the difference it made to have the man[3] out of the house. Their very voices were changed as they called to one another; they sounded warm and loving and as if they shared a secret[4]. Beryl went over to the table. "Have another cup of tea, mother. It's still hot[5]." She wanted, somehow, to celebrate the fact that they could do what they liked now. There was no man to disturb them; the whole perfect day was theirs.

"No, thank you, child," said old Mrs. Fairfield, but the way at that moment she tossed the boy up and said "a-goos-a-goos-a-ga!" to him meant that she felt the same. The little girls ran into the paddock like chickens let out of a coop.

Even Alice, the servant girl, washing up the dishes in the kitchen, caught the infection and used the precious tank water in a perfectly reckless fashion[6].

---

1. **rid of him!** Stanley est en proie à un délire de persécution ; **to rid** : *débarrasser* ; **to rid oneself of** : *se débarrasser de* ; **to be rid of** : *être débarrassé de* ; **to get rid of** : *se débarrasser de*.

2. **coatee** : *habit à courtes basques ; jaquette courte ; tunique ; petite veste d'enfant.*

3. **the man** : l'enfance de K.M. s'est déroulée dans une maison de femmes : sa mère, deux tantes, sa grand-mère, quatre filles.

4. **a secret** : c'est la ruche, une fois le bourdon chassé.

5. **hot** : l'atmosphère s'apaise brusquement. Le thé sera le symbole de l'intimité retrouvée.

Le pire, c'est que Stanley fut bien obligé de crier au revoir, lui aussi, pour la galerie. Puis il la vit faire demi-tour, esquisser une gambade et revenir en courant à la maison. Elle était contente d'être débarrassée de lui !

Oui, elle était soulagée. Elle entra en trombe dans la grande pièce et lança : « Il est parti ! » Linda appela de sa chambre : « Beryl ! Il est parti, Stanley ? » La vieille Mrs. Fairfield apparut, portant le bébé en petit vestou de flanelle. « Parti ?

— Parti ! »

Oh, quel poids en moins, quelle différence, de savoir l'homme parti de la maison. Leurs voix elles-mêmes étaient transformées tandis qu'elles s'appelaient l'une l'autre ; elles avaient une chaleur, une tendresse, et comme la connivence d'un secret partagé. Beryl alla vers la table. « Prends donc une autre tasse de thé, maman. Il est encore bien chaud. » Elle désirait, en quelque sorte, célébrer le fait qu'elles pouvaient désormais faire ce que bon leur semblait. Il n'y avait pas d'homme pour les déranger ; cette journée parfaite leur appartenait dans son entier.

« Non, merci, ma fille », dit la vieille Mrs. Fairfield, mais sa façon, à ce moment-là, de ballotter le bébé en l'air et de lui dire « A-reu-a-reu-a-reu ! » montrait qu'elle était dans la même disposition d'esprit. Les petites filles s'enfuirent de l'enclos comme des poulets lâchés d'un poulailler.

Même Alice, la bonne, qui lavait la vaisselle dans la cuisine, à son tour contagionnée, se mit à gaspiller l'eau précieuse de la citerne avec une alacrité incontrôlée.

---

6. **reckless fashion :** une petite note comique ponctue la scène. Elle n'est pas exempte de moquerie, il est vrai, aux dépens de la bonne. K.M. a tendance à brûler ce qu'elle vient d'adorer. Ici, dans la bonne humeur et la joie de vivre.

"Oh, these men!" said she, and she plunged the teapot into the bowl and held it under the water even after it had stopped bubbling, as if it too was a man and drowning was too good for them[1].

IV

"Wait for me, Isa-bel! Kezia, wait for me!"

There was poor little Lottie, left behind again, because she found it so fearfully hard to get over the stile[2] by herself. When she stood on the first step her knees began to wobble; she grasped the post. Then you had to put one leg over. But which[3] leg? She never could decide. And when she did finally put one leg over with a sort of stamp[4] of despair—then the feeling was awful. She was half in the paddock still and half in the tussock grass. She clutched the post desperately[5] and lifted up her voice. "Wait for me[6]!"

"No, don't you[7] wait for her, Kezia!"said Isabel. "She's such a little silly. She's always making a fuss. Come on!" And she tugged Kezia's jersey. "You can use my bucket if you come with me," she said kindly. "It's bigger than yours." But Kezia couldn't leave Lottie all by herself[8]. She ran back to her. By this time Lottie was very red in the face and breathing heavily.

---

1. ... **for them** : la bonne, bien sûr, force le trait.
2. **stile** : *les petits degrés de bois* qui permettent de franchir une palissade ou un grillage entre deux prés.
3. **which** : évidemment, il n'y en a que deux ! (sinon, on emploie plus volontiers **what**) ; mais même ainsi, quelle affaire, quel embarras !
4. **stamp** : *trépignement ; timbre, estampille ;* **(postage) stamp** : *timbre (-poste).*
5. **desperate** en anglais ; *desperado* (espagnol) ; *désespéré* (français).

« Ah, ces hommes », dit-elle ; et plongeant la théière dans la cuvette, elle la maintint sous l'eau, même après qu'elle eut fini de dégager des bulles, comme si c'était un homme, elle aussi, et que la noyade fût un sort trop doux.

4

« Attends-moi, Isa-bel ! Kezia, attends-moi ! »

Voilà la pauvre petite Lottie, une fois de plus à la traîne, parce que, pour elle, c'est si horriblement dur de passer par-dessus l'échalier toute seule. Déjà, sur la première marche, ses genoux commencent à trembler. Elle agrippe le pieu. Ensuite, il faut passer une jambe par-dessus. Mais laquelle, jambe ? Elle hésite toujours. Et quand enfin elle se décide à passer une jambe de l'autre côté, en frappant avec l'énergie du désespoir... alors, la sensation est épouvantable. Elle est encore à moitié dans l'enclos et à moitié dans l'herbe touffue. Elle se cramponne au pieu éperdument et élève la voix. « Attendez-moi !

— Non, ne va pas l'attendre, Kezia ! dit Isabel. Elle est tellement bêta. Elle fait toujours un tas d'histoires. Allez, viens ! » Et elle tire sur le chandail de Kezia. « Tu pourras prendre mon seau, si tu viens avec moi, dit-elle avec bonté. Il est plus grand que le tien. » Mais Kezia ne peut laisser Lottie livrée à elle-même. Elle revient vers elle en courant. Quand elle arrive, Lottie a la figure toute rouge et respire péniblement.

---

6. **wait for me !** : dans *L'Aloès*, la petite Lottie est décrite comme ne sachant jamais où sont les autres, et passant son temps à les chercher et les appeler.

7. **you**, renforce l'ordre négatif ; familier. C'est toujours la chipie.

8. **all by herself** : Kezia a bon cœur.

"Here, put your other foot over," said Kezia.

"Where?"

Lottie looked down at Kezia as if from a mountain height.

"Here where my hand is." Kezia patted the place.

"Oh, *there* do you mean?" Lottie gave a deep sigh and put the second foot over.

"Now—sort of turn round and sit down and slide," said Kezia.

"But there's nothing to sit down *on*, Kezia," said Lottie.

She managed it at last, and once it was over she shook herself and began to beam.

"I'm getting better at[1] climbing over stiles, aren't[2] I, Kezia?"

Lottie's was a very hopeful nature.

The pink and the blue sunbonnet followed Isabel's bright red sunbonnet[3] up that sliding, slipping hill[4]. At the top they paused to decide where to go and to have a good stare[5] at who was there already. Seen from behind, standing against the skyline, gesticulating largely with their spades[6], they looked like minute puzzled explorers.

The whole family of Samuel Josephs was there already with their lady-help[7], who sat on a camp-stool and kept order with a whistle that she wore tied round her neck, and a small cane with which she directed operations.

---

1. **at**: notons ce sens de **at**: **good at Arabic,** *bon en arabe;* **bad at swimming**: *mauvais en natation.*

2. **aren't I**: avec une belle faute de syntaxe, attendrissante chez la petite fille.

3. **sunbonnet**: jolie image.

4. Petite allitération en *sl, d, p,* et *i*, qui renforce bien la sensation de glissade.

5. **a good stare**: plus familier que: **to stare. To give s.o. a stare**: *dévisager qq'n.*

« Bon, amène ton autre pied, dit Kezia.

— Où ? »

Lottie regarde Kezia comme du haut d'une montagne.

« Ici, où je mets ma main. » Kezia tapote l'endroit.

« Oh, tu veux dire, là, c'est ça ? » Lottie pousse un profond soupir et passe le second pied par-dessus.

« Maintenant, ben, tu pivotes, tu t'assieds et tu glisses, dit Kezia.

— Mais il n'y a rien pour s'asseoir dessus, Kezia », dit Lottie.

Elle finit par y arriver et, dès que c'est fini, elle s'ébroue et devient rayonnante.

« Je fais des progrès pour grimper par-dessus les barrières, hein, tu croives-pas, Kezia ? »

Nature toujours pleine d'espoir, que celle de Lottie.

Capeline rose et capeline bleue suivirent la capeline rouge vif d'Isabel jusqu'en haut de cette dune qui se dérobait, fuyait sous les pas. Au sommet, elles s'arrêtèrent un instant pour choisir où elles iraient et pour bien détailler qui était déjà là. Vues de dos, debout sur la ligne d'horizon, faisant des gesticulations avec leurs pelles, elles faisaient penser à de minuscules explorateurs en proie à la perplexité.

La famille des Samuel Josephs était déjà là, au grand complet, avec leur demoiselle, assise sur un pliant, occupée à faire régner la discipline au moyen d'un sifflet qu'elle portait au cou en sautoir, et d'une petite badine avec laquelle elle dirigeait les opérations.

---

6. spade : *bêche*. (child's seaside) spade : *pelle*. Également *le pique, dans un jeu de cartes.*
"I call a spade a spade when I see one."
"I'm glad to say I've never seen a spade..." Oscar Wilde. *(Appeler un chat un chat.)*

7. Chez l'oncle Val, chez les Josephs, on a une **lady-help** ; chez les Beauchamp, une **servant-girl**... Nuance.

The Samuel Josephs[1] never played by themselves or managed their own game. If they did, it ended in the boys pouring water down the girls' necks or the girls trying to put little black crabs into the boys' pockets. So Mrs. S. J. and the poor lady-help drew up what she called a "bro-gramme" every morning to keep them "abused and out of bischief[2]." It was all competitions or races or round games. Everything began with a piercing blast of the lady-help's whistle and ended with another. There were even prizes—large, rather dirty paper parcels which the lady-help with a sour[3] little smile drew out of a bulging string kit. The Samuel Josephs fought fearfully for the prizes and cheated and pinched one another's arms—they were all expert pinchers. The only time the Burnell children ever played with them Kezia had got a prize, and when she undid three bits of paper she found a very small rusty button-hook. She couldn't understand why they made such a fuss[4]...

But they never played[5] with the Samuel Josephs now or even went to their parties. The Samuel Josephs were always giving children's parties at the Bay and there was always the same food. A big washhand basin of very brown[6] fruit salad, buns cut into four and a washhand[7] jug full of something the lady-help called "Limmonadear[8]."

---

1. Le modèle de la famille juive des **Samuel Josephs** (décrite avec plus d'affection dans *"Prélude"* et *L'Aloès*) est la famille de Walter Nathan, ferronnier voisin des Beauchamp, que Harold choisit comme associé quand, sa firme devenant très prospère, il ne fut plus en mesure d'assumer toutes les tâches.

2. **bischief**: dans les œuvres de cette époque, le juif est toujours un ashkenaze à l'accent teuton.

3. **sour**: *amer, acide* (**sour grapes**: *des raisins verts*).

4. **fuss** (fam.): *histoire, embarras*. **Fussy**: *vétilleux, difficile.*

5. **never played**: y aurait-il eu, en sourdine, de la critique dans le gynécée Beauchamp, relativement à ce choix?...

Les Samuel Josephs n'étaient jamais laissés à eux-mêmes pour jouer, ou inventer leurs propres jeux. Sinon, ça finissait toujours mal, les garçons versaient de l'eau dans le cou des filles, ou les filles essayaient de fourrer des petits crabes noirs dans les poches des garçons. C'est pourquoi Mrs. S.J., aidée de la pauvre mademoiselle, établissait chaque matin ce qu'elle appelait un « brogramme » pour « abuser les enfants et les empêcher de faire des soddises ». C'étaient toujours des compétitions, des courses, des jeux de groupe. Tout commençait sur un coup perçant du sifflet de mademoiselle et finissait sur un deuxième. Il y avait même des prix — de gros paquets emballés dans du papier douteux, que mademoiselle, avec un petit sourire revêche, tirait d'un filet plein à craquer. Les Samuel Josephs se battaient comme de beaux diables pour ces prix, trichaient, n'arrêtaient pas de se pincer les bras... pour les pinçons, c'étaient des experts. La seule et unique fois où les enfants Burnell avaient pris part à leurs jeux, Kezia avait remporté un prix, et une fois dépliés trois bouts de papier, elle avait trouvé un tout petit crochet à boutons rouillé. Elle n'avait pas du tout compris pourquoi ils faisaient tant de foin...

Mais elles ne jouaient plus avec les Samuel Josephs, maintenant, elles n'allaient même pas à leurs invitations. À la Baie, les Samuel Josephs passaient leur temps à donner des fêtes d'enfants, et il y avait toujours le même goûter. Une grande cuvette de salade de fruits vraiment marron, des brioches coupées en quatre, et un broc rempli de quelque chose que mademoiselle appelait de la « limônadeu ».

---

6. **brown** : parce qu'elle était préparée depuis des heures.
7. Cette insistance sur **washhand** est certes peu ragoûtante.
8. **Limmonadear** : la jeune femme est française.

And you went away in the evening with half the frill[1] torn off your frock[2] or something spilled all down the front of your openwork pinafore, leaving the Samuel Josephs leaping like savages on their lawn. No! They were too awful.

On the other side of the beach, close down to the water, two little boys, their knickers rolled up, twinkled[3] like spiders. One was digging, the other pattered[4] in and out of the water, filling a small bucket. They were the Trout boys, Pip and Rags[5]. But Pip was so busy digging and Rags was so busy helping that they didn't see their little cousins until they were quite close.

"Look!" said Pip. "Look what I've discovered." And he showed them an old, wet, squashed-looking[6] boot. The three little girls stared.

"Whatever are you going to do with it?" asked Kezia.

"Keep it, of course!" Pip was very scornful. "It's a find—see?"

Yes, Kezia saw that. All the same...

"There's lots of things buried in the sand," explained Pip. "They get chucked[7] up from wrecks. Treasure. Why— you might find—"

"But why does Rags have to keep on pouring water in?" asked Lottie.

"Oh, that's to moisten it," said Pip, "to make the work a bit easier. Keep it up, Rags[8]."

---

1. **Toby frill**: la célèbre *fraise* ancestrale. **To put on frills**: *faire des chichis.*

2. **frock**: est aussi le *froc* de moine. **An unfrocked priest**: *un prêtre défroqué.*

3. **twinkle**: plus connu pour signifier *scintiller, clignoter* ("Twinkle, twinkle, little star"), a également le sens de *papillonner.*

4. **pattered**: cf. p. 14, note 1.

5. **Pip and Rags**: les deux cousins s'appelaient Barrie et Eric Waters. Ils apparaissent également dans *L'Aloès* et *"Prélude"*, dans la même distribution: Pip, inventif, explicatif, régenteur; Rags, dans son ombre, lui prêtant fidèlement assistance.

Et le soir, on rentrait à la maison, avec la moitié du volant de votre robe arraché, ou une belle dégoulinade sur tout le devant de votre tablier à jour, et les Samuel Josephs qui continuaient à bondir comme des sauvages sur leur pelouse. Non ! Ils étaient trop épouvantables.

De l'autre côté de la plage, tout au bord de l'eau, deux petits garçons, culottes relevées, s'agitaient comme des araignées. L'un creusait le sable, l'autre faisait en trottinant la navette jusqu'à l'eau, pour remplir un petit seau. C'étaient les petits Trout, Pip et Rags. Mais Pip était si affairé à creuser, et Rags, si affairé à aider, qu'ils ne virent pas leurs petites cousines avant de les avoir sous le nez.

« Regardez ! dit Pip. Regardez ce que j'ai découvert. » Et il leur montra une vieille botte écrabouillée et détrempée. Les trois fillettes écarquillèrent les yeux. « Mais qu'est-ce que tu vas en faire ? demanda Kezia.

— La garder, évidemment ! » Pip était écrasant de mépris. « C'est une trouvaille — vu ? »

Oui, ça, Kezia voyait. Tout de même...

« Il y a des tas de choses enterrées dans le sable, expliqua Pip. C'est après les naufrages qu'elles se trouvent balancées à la mer. Des trésors. Tiens, on pourrait trouver...

— Mais pourquoi faut-il que Rags verse tout le temps de l'eau dedans ? demanda Lottie.

— Oh, c'est pour ramollir le sable, dit Pip, pour rendre le travail un peu plus facile. Continue, Rags. »

---

6. **squashed-looking : to squash :** *écraser qqch. de juteux* (**lemon squash :** *citron pressé*).

7. **chuck up :** langage familier : *envoyer balader* (**to give up**), *plaquer qqn, dégobiller.*

8. **keep it up :** Pip a l'œil sur sa main-d'œuvre.

And good little Rags ran up and down[1], pouring in the water that turned brown like cocoa.

"Here[2], shall I show you what I found yesterday?" said Pip mysteriously, and he stuck his spade into the sand. "Promise not to tell[3]."

They promised.

"Say, cross my heart[4] straight dinkum[5]."

The little girls said it.

Pip took something out of his pocket, rubbed it a long time on the front of his jersey, then breathed on it and rubbed it again.

"Now turn round!" he ordered.

They turned round.

"All look the same way! Keep still! Now!"

And his hand opened; he held up to the light something that flashed, that winked[6], that was a most lovely green.

"It's a nemeral[7]," said Pip solemnly.

"Is it really, Pip?" Even Isabel was impressed.

The lovely green thing seemed to dance in Pip's fingers. Aunt Beryl had a nemeral in a ring, but it was a very small one. This one was as big as a star and far[8] more beautiful.

---

1. **up and down**: ne suggère pas nécessairement un mouvement vertical, mais exprime le plus souvent un mouvement de navette en sens horizontal. Comme il est fréquent, le verbe **run** *(courir)* indique la modalité du mouvement.

2. **here...!**: pour **look here...!**, interpellation courante.

3. **to tell**: *dire,* mais aussi (ici) *rapporter,* ou encore *dénombrer.* D'une chanson populaire: "The man who tells his mother ought to have his lips cut off": *L'homme qui rapporte à sa mère mériterait qu'on lui coupe les lèvres.*

4. **cross my heart**: m. à m. *fais le signe de croix sur mon cœur* (lointain souvenir d'une formule et d'un geste d'exorcisme).

5. **dinkum**: "australianisme" familier: *franc, authentique.* Par extension, substantif signifiant un Australien de naissance, un "kangourou" (de même que le Néo-Zélandais est un "kiwi".)

Et le gentil petit Rags continua son rapide va-et-vient, versant dans le trou l'eau qui devenait marron comme du cacao.

«Dites donc, je vous montre ce que j'ai trouvé hier? proposa Pip sur un ton de mystère; et il planta sa pelle dans le sable. Promettez de ne pas rapporter.»

Elles promirent.

«Dites, croix de bois croix de fer, juré, craché.»

Les fillettes le dirent.

Pip sortit quelque chose de sa poche, le frotta un bon bout de temps sur le devant de son chandail, puis souffla dessus et frotta encore.

«Allez, tournez-vous!» ordonna-t-il.

Elles se tournèrent.

«Tout le monde regarde du même côté! Ne bougez pas! Voilà!»

Et sa main s'ouvrit; il éleva dans la lumière quelque chose de scintillant, d'étincelant, d'un vert absolument ravissant.

«C'est un némeraude, dit Pip avec solennité.

— C'est vrai, Pip?» Même Isabel était impressionnée.

La splendide chose verte paraissait danser dans les doigts de Pip. Tante Beryl avait un némeraude dans une bague, mais un très petit. Celui-ci était aussi gros qu'une étoile et tellement, tellement plus beau.

---

6. **winked**: sens pr. de **to wink**: *adresser un clin-d'œil* (wink: *clin-d'œil*; **to have forty winks**: *faire un petit somme, une petite sieste*).

7. **nemeral**: K.M. aime bien restituer cette faute du parler enfantin. Cf. *L'Aloès*: **a narum** (arum); **a nuncle** (uncle); **a naunt** (aunt); **a nenamel** (enamel), etc. Ce **n** initial est évidemment plus facile à prononcer = **emerald**.

8. **far**: adv. syn. de **much**, dérivant ce sens de l'adj. **far**, *loin, lointain* (**Far-East, Far-West**); cf. le français: *de loin le plus beau*.

V

As the morning lengthened whole parties appeared over the sand-hills[1] and came down on the beach to bathe. It was understood that at eleven o'clock the women and children of the summer colony had the sea to themselves. First the women undressed[2], pulled on their bathing dresses and covered their heads in hideous caps like sponge-bags; then the children were unbuttoned. The beach was strewn with little heaps of clothes and shoes; the big summer hats, with stones on them to keep them from blowing away, looked like immense shells[3]. It was strange that even the sea seemed to sound differently when all those leaping, laughing figures ran into the waves. Old Mrs. Fairfield, in a lilac cotton dress and a black hat[4] tied under the chin, gathered her little brood and got them[5] ready. The little Trout boys whipped their shirts over their heads, and away the five sped, while their grandma sat with one hand in her knitting-bag ready to[6] draw out the ball of wool when she was satisfied[7] they were safely in.

The firm compact little girls were not half so brave as the tender, delicate-looking little boys[8]. Pip and Rags, shivering, crouching down, slapping the water, never hesitated.

---

1. S'écrit le plus souvent en un seul mot : **sandhill**; **(sand)dune** existe aussi.

2. **undressed**: la "mère-patrie" est loin. La vie ici est plus sauvage et plus libre. Ainsi, on se déshabille sur la plage.

3. **shells**: le tableau est très joli et très gai. La mer elle-même y est sensible.

4. **black hat**: on privilégie tout de même la peau blanche (sauf la "nouvelle femme", excentrique et provocatrice). Mrs. Fairfield, étant âgée, est vouée au lilas et au noir.

5. **them**: au pl., parce que la couvée est composée de plusieurs poussins ; **brood mare**: *jument poulinière*. **To brood**: *couver,* et par extension, au figuré : *broyer du noir, ressasser, ruminer.*

5

Comme la matinée s'avançait, on voyait des groupes
entiers apparaître au sommet des dunes et descendre jusqu'à
la plage pour se baigner. Il était convenu qu'à onze heures,
la mer appartenait aux femmes et aux enfants de la colonie
estivale. Les femmes se déshabillaient les premières,
enfilaient leurs costumes de bain, et se couvraient la tête de
bonnets hideux semblables à des sacs de toilette. Puis on
déboutonnait les enfants. La plage était jonchée de petits tas
de vêtements et de souliers ; les grands chapeaux de soleil,
maintenus par des pierres pour les empêcher de s'envoler,
avaient l'air d'immenses coquillages. Il était étrange que la
mer elle-même parût rendre une résonance différente,
lorsque toutes ces rieuses formes bondissantes se précipitaient
dans les vagues. La vieille Mrs. Fairfield, en robe de coton
lilas, un chapeau noir noué sous le menton, rassembla sa
petite nichée et la prépara. Les jeunes Trout firent valser
leurs chemises par-dessus leurs têtes, et hop, les cinq enfants
filèrent à toute allure, tandis que leur bonne-maman restait
assise, une main dans son sac à tricot, prête à en tirer la pelote
de laine, une fois certaine qu'ils étaient bien dans l'eau.

Les petites filles au corps ferme et compact n'avaient pas,
et de loin, la vaillance des petits garçons à l'aspect tendre et
délicat. Pip et Rags frissonnaient, s'accroupissaient, battaient l'eau, mais n'hésitaient jamais.

---

6. **ready** : bien pris, l'instantané. L'immobilité d'attente de la grand-
mère en contrepoint de la course joyeuse de la petite troupe.

7. **satisfied with** : *satisfait de.* **The judge was not satisfied that he was
telling the truth** : ... *n'était pas convaincu que...*

8. **... little boys** : notation très sensuelle et combien juste. C'est par
des touches de ce genre que K.M. nous enchante.

But Isabel, who could swim twelve strokes, and Kezia, who could nearly swim eight, only followed on the strict understanding[1] they were not to be splashed. As for Lottie, she didn't follow at all. She liked to be left to go in her own way, please[2]. And that way was to sit down at the edge of the water, her legs straight, her knees pressed together, and to make vague motions with her arms as if she expected to be wafted out to sea. But when a bigger wave than usual, an old whiskery[3] one, came lolloping along in her direction, she scrambled to her feet with a face of horror and flew up the beach again.

"Here, mother, keep these for me, will you?"

Two rings and a thin gold chain were dropped into Mrs. Fairfield's lap.

"Yes, dear. But aren't you going to bathe here?"

"No-o," Beryl drawled. She sounded vague. "I'm undressing further along. I'm going to bathe with Mrs. Harry Kember."

"Very well[4]." But Mrs. Fairfield's lips set. She disapproved of Mrs. Harry Kember. Beryl knew it.

Poor old mother, she smiled, as she skimmed over the stones. Poor old mother! Old! Oh, what joy, what bliss it was to be young[5]...

"You looked very pleased," said Mrs. Harry Kember. She sat hunched up on the stones, her arms round her knees, smoking[6].

---

1. **understanding**: substantif, a deux acceptions : *compréhension, intelligence; entente, accord;* **a perfect understanding**: *une entente parfaite;* **to have an understanding with s.o.**: *être d'intelligence avec qqn.* La nuance du texte en est dérivée : *condition.* **On the firm understanding that**: *à la condition expresse que.*

2. **please**: elle est mignonne, la petite Lottie, avec sa façon bien à elle de s'intégrer au groupe. K.M. la décrit toujours avec affection.

3. **whiskery**: une sorte de grand méchant loup, d'ogre.

4. **very well**: Mrs. Fairfield est toujours très tolérante, très accommodante. Tout au plus, ici, marque-t-elle sa désapprobation en oubliant un **"dear"** ou un **"darling"**.

48

En revanche, Isabel, capable de faire douze brasses, et Kezia, qui pouvait presque arriver à huit, ne les suivaient qu'à la stricte condition de ne pas se faire éclabousser. Quant à Lottie, elle ne suivait pas du tout. Il fallait la laisser, s'il vous plaît, entrer dans l'eau à sa façon à elle. Et cette façon consistait à s'asseoir à la lisière de l'eau, les jambes droites, les genoux serrés, et à faire de vagues mouvements avec les bras, comme si elle s'attendait à être doucement emportée vers le large. Mais quand une vague plus grosse que les autres, une bonne vieille barbue, galopait, en équilibre menaçant, dans sa direction, elle avait vite fait de se remettre debout, le visage pétri d'horreur, et de remonter la plage à toute allure.

« Tiens, maman, garde-moi ça, veux-tu ? »

Deux bagues et une fine chaîne en or atterrirent sur les genoux de Mrs. Fairfield.

« Oui, chérie. Mais tu ne vas pas te baigner ici ?

— N...n...on », répond Beryl d'un ton traînant. Elle semblait distraite. « Je me déshabille plus loin, là-bas. Je vais me baigner avec Mrs. Harry Kember.

— Très bien. » Mais les lèvres de Mrs. Fairfield se serrèrent. Elle n'avait pas bonne opinion de Mrs. Harry Kember. Beryl le savait.

Pauvre vieille maman, songea-t-elle avec un sourire, en sautant, légère, par-dessus les galets. Pauvre vieille maman ! Vieille ! Oh, quelle joie, quelle volupté, d'être jeune...

« Vous aviez l'air ravi », dit Mrs. Harry Kember. Elle se tenait sur les galets, recroquevillée sur elle-même, les bras noués autour des genoux, et elle fumait.

---

5. **young :** cet affrontement minuscule a donné des ailes à Beryl. Symboliquement, elle a déposé son fardeau sur les genoux de sa mère et elle vole vers la nouvelle femme, vers la libération.

6. **smoking :** déjà le scandale.

"It's such a lovely day," said Beryl, smiling down at her.

"Oh, my *dear*[1]!" Mrs. Harry Kember's voice sounded as though she knew better than that. But then her voice always sounded as though she knew something more about you than you did yourself. She was a long, strange-looking woman with narrow[2] hands and feet. Her face, too, was long and narrow and exhausted-looking; even her fair curled fringe looked burnt out and withered. She was the only woman at the Bay who smoked, and she smoked incessantly[3], keeping the cigarette between her lips while she talked, and only taking it out when the ash was so long you could not understand why it did not fall. When she was not playing bridge—she played bridge every day of her life—she spent her time lying in the full glare of the sun. She could stand any amount of it; she never had enough. All the same, it did not seem to warm her. Parched, withered, cold, she lay stretched on the stones like a piece of tossed-up driftwood. The women at the Bay thought she was very, very fast[4]. Her lack of vanity[5], her slang, the way she treated men as though she was one of them, and the fact that she didn't care twopence about her house[6] and called the servant Gladys "Glad-eyes[7]," was disgraceful. Standing on the veranda steps Mrs. Kember would call in her indifferent, tired voice, "I say, Glad-eyes, you might heave[8] me a handkerchief if I've got one[9], will you?"

---

1. **my dear!**: Mrs. Kember ne manque pas de finesse.
2. **narrow**: on pense à des tableaux un peu sulfureux, de Gustav Klimt ou Egon Schiele.
3. **incessantly**: elle fume de façon militante.
4. **fast**: familier et vieilli. **The fast set**: *les viveurs*. **To lead a fast life**: *mener une vie de bâton de chaise*.
5. **vanity** a presque l'allure d'un faux ami. Elle refuse et rejette les futilités qui sont traditionnellement l'apanage des femmes.
6. **... her house**: c'est là le grand reproche.

« Il fait une si merveilleuse journée, dit Beryl en lui souriant.

— Voyons, ma chère ! » L'intonation de Mrs. Harry Kember semblait annoncer qu'elle n'était pas dupe. Remarquez, elle donnait toujours cette impression d'en savoir plus sur vous que vous-même. C'était une longue femme, à l'air étrange, avec des mains et des pieds étroits. Un visage, étroit et long, également, avec une expression d'épuisement ; jusqu'à sa frange blonde et bouclée qui paraissait roussie et desséchée. Elle était la seule femme de la Baie à fumer, et elle fumait continuellement, gardant la cigarette entre les lèvres tandis qu'elle parlait, et ne la retirant que lorsque la cendre était si longue que son maintien en équilibre défiait l'entendement. Quand elle ne jouait pas au bridge (elle y jouait tous les jours de sa vie), elle passait son temps couchée en plein soleil. Elle pouvait en supporter tant et plus ; jamais elle n'en avait assez. Pour autant, elle n'en paraissait pas réchauffée. Desséchée, flétrie, froide, elle gisait étendue sur les galets comme un morceau de bois flotté échoué sur la grève. Les femmes de la Baie voyaient en elle une belle dévergondée. Sa désinvolture, son argot, sa façon de traiter les hommes comme si elle était l'un d'eux, le fait qu'elle se fichait complètement de sa maison et qu'elle appelait sa bonne, Gladys, « Yeux-Gais », était un scandale. Debout sur les marches de la véranda, Mrs. Kember lançait, de sa voix indifférente et lasse : « Dites voir, Yeux-Gais, vous pourriez me balancer un mouchoir, si j'en ai un par là, d'accord ? »

---

7. **Gladys** : un jeu de mots compliqué. Par affectation, elle prononce [ai] le **'y'** de Gladys ['Glaedis] ; en outre, **to give someone the glad eye** = *faire de l'œil à qqn.*

8. **heave** : elle bouscule tant soit peu la barrière entre maître et serviteur : où va-t-on ? Voilà l'argot tant décrié.

9. **if I've got one** : tout va à vau-l'eau chez elle : elle ne sait même pas si elle a un mouchoir...

And Glad-eyes, a red bow in her hair instead of a cap, and white[1] shoes, came running with an impudent smile. It was an absolute scandal[2]! True, she had no children[3], and her husband... Here the voices were always raised; they became fervent. How can he have married her? How can he, how can he? It must have been money, of course, but even then!

Mrs. Kember's husband was at least ten years younger than she was, and so incredibly handsome that he looked like a mask or a most perfect illustration in an American novel rather than a man[4]. Black hair, dark blue eyes, red lips, a slow sleepy smile, a fine tennis player, a perfect dancer, and with it all a mystery[5]. Harry Kember was like a man walking in his sleep. Men couldn't stand him, they couldn't get a word out of the chap[6]; he ignored[7] his wife just as she ignored him. How did he live? Of course there were stories, but such stories! They simply couldn't be told. The women he'd been seen with, the places he'd been seen in... but nothing was ever certain, nothing definite. Some of the women at the Bay privately thought he'd commit a murder[8] one day. Yes, even while they talked to Mrs. Kember and took in the awful concoction she was wearing, they saw her, stretched as she lay on the beach; but cold, bloody, and still with a cigarette[9] stuck in the corner of her mouth.

---

1. **white shoes :** bien sûr, la bonne en profite, elle s'habille n'importe comment. (Cf. : description d'Alice dans *L'Aloès*. Une bonne comme il faut porte une robe noire, un tablier blanc, un nœud blanc dans les cheveux, des escarpins noirs. Ch. IV.)

2. **scandal :** en partie un faux ami : *médisance, potins, commérages.* **The School for Scandal,** de Sheridan.

3. **no children :** encore le scandale.

4. **... than a man :** elles fantasment allégrement, les dames de la plage... et de façon bien enfantine.

5. **a mystery :** une perfection, en effet.

6. **chap :** ah, bien sûr, s'ils considèrent cette idole comme un **chap,** ils n'en tireront rien...

Et Yeux-Gais, un nœud rouge dans les cheveux au lieu d'un bonnet, chaussée de souliers blancs, accourait en souriant effrontément. C'était une véritable honte ! C'est vrai, elle était sans enfants, et son mari... À ce point, les voix montaient toujours d'un ton ; elles prenaient des inflexions ferventes. Comment avait-il pu l'épouser ? Comment, mais comment ? Sans doute pour l'argent, cela allait de soi, mais même alors !

Le mari de Mrs. Kember était d'au moins dix ans son cadet, et si incroyablement beau qu'il faisait penser à un masque ou à une gravure, à l'apogée de la perfection, dans un roman américain, bien plutôt qu'à un homme. Cheveux noirs, yeux bleu foncé, lèvres rouges, lent sourire somnolent, excellent joueur de tennis, parfait danseur, et outre tout cela, un mystère. Harry Kember avait quelque chose d'un somnambule. Les hommes le trouvaient insupportable, pas moyen de tirer un mot de ce type ; il ne faisait pas plus cas de son épouse qu'elle de lui. Comment vivait-il ? Naturellement, des histoires couraient, et quelles histoires ! Carrément irracontables. Les femmes avec qui on l'avait vu, les endroits où on l'avait aperçu... mais jamais rien de certain, rien de précis. Quelques-unes, parmi les femmes de la Baie, avaient la conviction intime qu'il finirait par commettre un assassinat. Oui, à l'instant même où elles faisaient la causette avec Mrs. Kember, sans perdre un détail de l'invraisemblable attirail vestimentaire qu'elle avait sur le dos, elles la voyaient, étendue comme elle gisait sur la plage ; mais froide, ensanglantée, une cigarette encore plantée au coin de la bouche.

---

7. **ignore** : faux ami. *Feindre d'ignorer, ne tenir aucun compte de ; ignorer.*

8. **murder** : ... sur la personne de sa femme. Ces dames ne voient que cette solution... il serait libre, ensuite, le bel Harry.

9. **cigarette** : le petit détail sadique, qui symbolise les péchés de Mrs. Kember.

Mrs. Kember rose, yawned, unsnapped her belt buckle, and tugged at the tape of her blouse. And Beryl stepped out of her skirt and shed her jersey, and stood up in her short white petticoat, and her camisole with ribbon bows on the shoulders.

"Mercy on us," said Mrs. Harry Kember, "what a little beauty you are[1]!"

"Don't!" said Beryl softly; but, drawing off one stocking and then the other, she felt a little beauty.

"My dear—why not?" said Mrs. Harry Kember, stamping on her own petticoat[2]. Really—her underclothes! A pair of blue cotton knickers and a linen bodice[3] that reminded one somehow of a pillow-case[4]... "And you don't wear stays[5], do you?" She touched Beryl's waist, and Beryl sprang away with a small affected cry. Then "Never!" she said firmly.

"Lucky little creature," sighed Mrs. Kember, unfastening her own[6].

Beryl turned her back and began the complicated movements of someone who is trying to take off her clothes and to pull on her bathing-dress all at one and the same time.

"Oh, my dear—don't mind me," said Mrs. Harry Kember. "Why be shy? I shan't eat you. I shan't be shocked like those other ninnies[7]." And she gave her strange neighing laugh and grimaced at the other women.

---

1. **beauty**: Beryl se sait jolie; elle est toujours décrite comme très narcissique; et elle attire les hommages féminins (cf. *L'Aloès* et *"Prélude"*, la séance de brossage de cheveux avec Nan Fry). Il y a là un trait autobiographique: quelque chose, chez K.M., attirait les femmes aussi bien que les hommes; ses parents en avaient conscience, et sa mère la surveillait, de façon malveillante; de même, son père... "Je ne puis me trouver en compagnie de femmes une demi-minute... le voilà, yeux effarés, s'appliquant à n'avoir l'air de rien..." *(Journal)*.

2. **petticoat**: étym. **petty coat**: *petit*. Devenu, comme en français, un symbole de la féminité, il a fini par désigner la femme... Vieilli.

Mrs. Kember se leva, bâilla, dégrafa d'un coup sec la boucle de sa ceinture, et tiraillla le cordon de son corsage. Et Beryl enjamba sa jupe tombée à terre, se dépouilla de son chandail et resta debout, dans son court jupon blanc et son cache-corset garni de nœuds de ruban aux épaules.

«Miséricorde, dit Mrs. Harry Kember, quelle petite beauté vous faites!

— Je vous en prie!» fit Beryl, la voix douce; mais, ôtant un bas, ensuite l'autre, elle éprouva l'impression d'être en effet une petite beauté.

«Ma chère... pourquoi pas?» s'enquit Mrs. Harry Kember en piétinant son propre jupon. Seigneur, ses dessous! Un slip de coton bleu et un corsage de toile qui vous faisait irrésistiblement penser à une taie d'oreiller... «Et vous ne portez pas de corset, bien entendu?» Elle effleura la taille de Beryl, et celle-ci se dégagea d'un bond, avec un petit cri affecté. Puis «Jamais! dit-elle d'un ton ferme.

— Petite veinarde», soupira Mrs. Kember en dégrafant le sien.

Beryl tourna le dos et se lança dans une série de gestes compliqués visant à ôter ses vêtements et enfiler son costume de bain simultanément.

«Oh, ma chère... ne vous préoccupez pas de moi, dit Mrs. Harry Kember. Pourquoi cette timidité? Je ne vous mangerai pas. Je ne serai pas scandalisée, comme ces autres gourdes.» Et elle partit de son étrange rire hennissant, avec force grimaces du côté des autres femmes.

---

3. **bodice**: *corsage baleiné.*
4. **pillow-case**: Mrs. Kember, c'est la garçonne.
5. **stay**: *appui, soutien, étai.* **Stays** (vieilli): *corset.*
6. **her own**: on se demande bien pourquoi Mrs. Kember en porte.
7. **ninny**: familier et vieilli.

But Beryl was shy. She never undressed in front of anybody. Was that silly? Mrs. Harry Kember made her feel it was silly, even something to be ashamed of[1]. Why be shy indeed! She glanced quickly at her friend standing so boldly in her torn chemise[2] and lighting a fresh[3] cigarette; and a quick, bold[4], evil feeling started up in her breast. Laughing recklessly, she drew on the limp, sandy[5]-feeling bathing-dress that was not quite dry and fastened the twisted buttons.

"That's better," said Mrs. Harry Kember. They began to go down the beach together. "Really, it's a sin for you to wear clothes, my dear. Somebody's got to tell you some day."

The water was quite warm. It was that marvellous transparent blue, flecked with silver, but the sand at the bottom looked gold; when you kicked with your toes there rose a little puff of gold-dust. Now the waves just reached her breast. Beryl stood, her arms outstretched, gazing out, and as each wave came she gave the slightest little jump, so that it seemed it was the wave which lifted her so gently.

"I believe in pretty girls having[6] a good time[7]," said Mrs. Harry Kember. "Why not? Don't you make a mistake, my dear. Enjoy yourself."

---

1. **something to be ashamed of** : rejet de **of** entraîné par la suppression du relatif **which** (syn. : **something of which to be ashamed**).
2. **chemise** : [ʃə'mi:z] : prononciation respectée.
3. **fresh** : dans le sens de *nouveau*. **A fresh idea** : *une idée originale*. **Fresh from college** : *frais émoulu de l'université*.
4. **bold** : à l'attitude **"bold"** de la tentatrice, répond l'élan **"bold"** de la jeune fille.
5. En tant que nuance de couleur, **sandy** : *blond-roux, roux pâle* (**sandy-haired**).
6. **having** : nom verbal. **Having** joue effectivement une double fonction a) substantif complément de **in** ; b) verbe ayant pour sujet

Mais Beryl n'osait. Elle ne se déshabillait jamais devant personne. Niaiserie ? Mrs. Harry Kember l'amenait à sentir que c'était ridicule, honteux même, comme attitude. Mais oui, pourquoi cette timidité ? ! Elle lança un rapide coup d'œil à son amie qui se tenait là si crânement avec sa chemise déchirée, en train d'allumer une nouvelle cigarette. Et rapide, hardie, maligne, une pulsion bondit dans sa poitrine. Avec un rire téméraire, elle enfila le maillot de bain avachi, tout picotant de grains de sable, et pas encore tout à fait sec, et elle en boutonna les boutons entortillés.

« À la bonne heure », dit Mrs. Harry Kember. Elles se mirent à descendre la plage côte à côte. « Sans blague, c'est un crime de porter des vêtements, dans votre cas, ma chère. Fatalement, quelqu'un vous le dira, un jour ou l'autre. »

L'eau était vraiment tiède. Elle était de ce merveilleux bleu transparent, moucheté d'argent, mais le sable, au fond, semblait d'or ; quand on lui donnait une chiquenaude du bout des orteils, on libérait une petite bouffée de poudre d'or. À présent, les vagues atteignaient juste sa poitrine. Beryl restait les bras étendus, le regard perdu, et elle accueillait chaque arrivée de vague d'un imperceptible petit saut, créant ainsi l'illusion que c'était la vague qui la soulevait si doucement.

« Je suis pour que les jolies filles se payent du bon temps, dit Mrs. Harry Kember. Pourquoi non ? N'allez pas commettre cette bourde, ma chère. Amusez-vous. »

---

pretty girls. Développée, cette forme aurait pour équivalent : **I believe in the fact that pretty girls should have a good time**, "grammaticalement correcte" mais irrecevable en pratique.

7. ... **a good time** : manière plutôt virile de s'exprimer. On croirait la voir retourner ses bacchantes en parlant...

And suddenly she turned turtle[1], disappeared, and swam away quickly, quickly, like a rat. Then she flicked round and began swimming back. She was going to say something else. Beryl felt that she was being poisoned by this cold woman, but she longed to hear. But oh, how strange, how horrible[2]! As Mrs. Harry Kember came up close she looked, in her black waterproof bathing-cap, with her sleepy face lifted above the water, just her chin touching, like a horrible caricature of her husband[3].

VI

In a steamer chair, under a manuka[4] tree that grew in the middle of the front grass patch, Linda[5] Burnell dreamed the morning away. She did nothing. She looked up at the dark, close, dry leaves of the manuka, at the chinks of blue between, and now and again a tiny yellowish flower dropped on her. Pretty—yes, if you held one of those flowers on the palm of your hand and looked at it closely, it was an exquisite small thing. Each pale yellow petal shone as if each was the careful work of a loving hand. The tiny tongue in the centre gave it the shape of a bell. And when you turned it over the outside was a deep bronze colour. But as soon as they flowered, they fell and were scattered[6].

---

1. **turn turtle :** tournure familière du vocabulaire nautique : *chavirer, capoter.*

2. **horrible :** la scène se termine sur une pirouette, mais plausible, étant donné l'état d'émotion dans lequel se trouve Beryl, où flotte çà et là un sentiment de culpabilité. Cette femme froide qui l'empoisonne évoque on ne peut plus discrètement le funeste serpent corrupteur.

3. **husband :** on découvrira, dans la dernière section de la nouvelle, combien l'image de Mr. Kember hante la jeune fille.

4. **manuka :** parmi les bâtiments traditionnels d'un village maori, figure la **whare manuka :** *maison au toit à pignons et couvert de terre.* Le

Et brusquement, elle se retourna, disparut et s'éloigna à la nage, vite, vite, comme un rat. Puis elle fit prestement volte-face et commença à revenir vers la plage. Elle allait dire encore autre chose. Beryl sentait bien que cette femme froide était en train de la corrompre, mais elle mourait d'envie d'entendre ses paroles. Mais oh, quelle chose étrange, quelle horreur ! Arrivée tout près, Mrs. Harry Kember ressemblait, avec son bonnet de bain noir, son visage ensommeillé émergé, le menton juste à ras de l'eau, à une horrible caricature de son mari.

6

Dans un transat, sous un manuka qui poussait au milieu de la pelouse de devant, Linda Burnell faisait passer la matinée en rêvant. Elle ne faisait rien. Les yeux levés, elle regardait l'épais feuillage sombre et sec du manuka, les fentes de bleu entre les feuilles, et de temps à autre, une minuscule fleur jaunâtre échouait sur elle. Jolie, oui, à tenir une de ces fleurs sur la paume de sa main, et à la regarder attentivement, on a sous les yeux une petite chose exquise. Chaque pétale jaune pâle brille, comme ciselé avec soin par une main aimante. L'infime languette, en son cœur, lui donne la forme d'une cloche. Et quand on la retourne, l'extérieur est d'une chaude couleur bronze. Mais à peine épanouies, elles tombent et s'éparpillent.

---

manuka s'apparente, semble-t-il, au *sophora* ou au *datura*.

5. **Linda** : c'est la mère des petites filles. Nous l'avons déjà aperçue dans son lit, avant le départ de Stanley ; la voici dans un transat, complètement oisive. Quel contraste avec la grand-mère qui s'occupe de tout !

6. **scattered** : cette description si minutieuse est l'expression du désœuvrement.

You brushed them off your frock as you talked; the horrid little things got caught in one's[1] hair. Why, then, flower at all? Who takes the trouble—or the joy—to make all these things that are wasted, wasted[2]... It was uncanny[3].

On the grass beside her, lying between two pillows, was the boy[4]. Sound asleep he lay, his head turned away from his mother. His fine dark hair looked more like a shadow than like real hair, but his ear was a bright, deep coral. Linda clasped her hands above her head and crossed her feet. It was very pleasant[5] to know that all these bungalows were empty, that everybody was down on the beach, out of sight, out of hearing. She had the garden to herself; she was alone.

Dazzling white the picotees shone; the golden-eyed marigolds glittered; the nasturtiums[6] wreathed the veranda poles in green and gold flame. If only one had time to look at these flowers long enough, time to get over the sense of novelty[7] and strangeness, time to know them! But as soon as one paused to part the petals, to discover the under-side[8] of the leaf, along came Life and one was swept away. And lying in her cane chair, Linda felt so light; she felt like a leaf. Along came Life like a wind and she was seized and shaken; she had to go[9]. Oh dear, would it always be so? Was there no escape?

---

1. **one's: your** serait plus en harmonie avec le membre de phrase précédent.

2. **wasted :** vanité des vanités... Linda est désœuvrée et légèrement dépressive.

3. **uncanny : canny** existe, mais s'emploie rarement. Mot d'origine écossaise : *prudent, avisé, économe.* N'existe pas avec la nuance inverse de : **uncanny ;** dans ce cas, il ne s'emploie que négativement, ce qui revient à **uncanny : it's not canny.**

4. **the boy :** difficile à la grand-mère de l'emmener sur la plage. Le "**boy**", jusqu'à la fin de la nouvelle, n'aura pas de nom.

5. **pleasant :** passé, le petit nuage amené par des pensées d'ordre général ; retour à l'instant présent et au charme d'un moment de solitude.

Tout en causant, vous les balayez de votre robe d'une chiquenaude ; ces horribles petits machins se prennent dans vos cheveux. Eh bien, alors, pourquoi cette floraison ? Qui prend la peine — ou la joie — de faire toutes ces choses en pure perte, en pure perte... C'est troublant.

Sur l'herbe à côté d'elle, bien calé entre deux oreillers, le bébé. Profondément endormi, il reposait là, la tête détournée de sa mère. Son fin duvet foncé ressemblait à une ombre plus qu'à de vrais cheveux, mais son oreille avait une coloration chaude et luisante de corail. Linda joignit les mains au-dessus de sa tête, et croisa les pieds. Il était fort agréable de savoir que tous ces bungalows étaient vides, que tout le monde était à la plage, loin des yeux, hors de portée d'oreille. Elle avait le jardin tout à elle ; elle était seule.

D'un blanc éblouissant, les œillets jaspés brillaient ; les soucis aux yeux d'or étincelaient ; les capucines enguirlandaient les piliers de la véranda de flammes verte et dorée. Ah, si on avait le temps de s'abîmer suffisamment dans la contemplation de ces fleurs, le temps de surmonter le sentiment de nouveauté et d'étrangeté, le temps de les connaître ! Mais dès qu'on prenait le temps de séparer les pétales, de découvrir le dessous de la feuille, survenait la Vie et l'on était emporté. Et elle se sentait si légère, Linda, allongée dans sa chaise longue en rotin ; comme une feuille. Survint la Vie comme une bourrasque, elle fut saisie et secouée ; il lui fallut s'en aller. Oh, mon Dieu, en serait-il toujours ainsi ? Était-il donc impossible d'y échapper ?

---

6. **nasturtiums** : toutes ces fleurs, d'importation britannique, sont très prospères en Nouvelle-Zélande, ainsi que tulipes, roses, rhododendrons, etc.

7. **novelties**, au pl., a, curieusement, le sens de : *farces et attrapes*.

8. Ou **underside**. Une des préoccupations majeures de K.M.

9. Nous vient à la mémoire "Le Cimetière marin" de Valéry : "Le vent se lève ! Il faut tenter de vivre !"

... Now she sat on the veranda of their Tasmanian home[1], leaning against her father's knee[2]. And he promised, "As soon as you and I are old enough, Linny, we'll cut off somewhere, we'll escape. Two boys together. I have a fancy I'd like to sail up a river in China." Linda saw that river, very wide, covered with little rafts and boats. She saw the yellow hats of the boatmen and she heard their high, thin voices as they called...

"Yes, papa[3]."

But just then a very broad young man[4] with bright ginger hair walked slowly past their house, and slowly, solemnly even, uncovered. Linda's father pulled her ear teasingly, in the way he had.

"Linny's beau[5]," he whispered.

"Oh, papa, fancy being married to Stanley Burnell!"

Well, she was married to him[6]. And what was more she loved him. Not the Stanley whom every one saw, not the everyday one; but a timid, sensitive, innocent Stanley who knelt down every night to say his prayers, and who longed to be good. Stanley was simple. If he believed in people—as he believed in her, for instance—it was with his whole heart. He could not be disloyal; he could not tell a lie[7].

---

1. **Tasmanian**: la Tasmanie, au sud de l'Australie, est la voisine de la Nouvelle-Zélande. Dans *L'Aloès,* Mrs. Fairfield se remémore des scènes de leur vie dans la maison tasmanienne (cf. Beryl enfant piquée par une fourmi rouge).

2. **father's knee**: flashback amené par la secousse de la Vie, qui vient vous rappeler que vous n'êtes ni fleur ni feuille, et vous éloigne des tentations végétatives.

3. **papa**: Linda n'a de son père que de charmants souvenirs où se révèle une grande complicité *(L'Aloès, "Prélude")*.

4. **young man**: en bonne jeune fille de son époque, Linda est passée de Papa à Stanley, son époux.

5. **beau**: [bou], *élégant, dandy;* archaïque et plutôt usité aux États-Unis : *prétendant, galant.*

... Elle se retrouvait à présent assise sur la véranda de leur maison tasmanienne, appuyée contre le genou de son père. Et il avançait cette promesse : « Dès que nous serons assez vieux, toi et moi, Linnou, nous filerons quelque part, nous prendrons la fuite. Deux garçons. J'imagine que ça me plairait de remonter une rivière en bateau, en Chine. » Linda voyait cette rivière, très large, couverte de petits radeaux et embarcations. Elle voyait les chapeaux jaunes des bateliers, elle entendait leurs fluettes voix haut perchées tandis qu'ils lançaient leurs appels...

« Oui, papa. »

Mais au même instant, un jeune homme à la très forte carrure, aux cheveux roux flamboyants, passait lentement devant leur maison, et lentement, solennellement même, se découvrait. Le père de Linda lui tirait l'oreille, geste habituel chez lui, histoire de la taquiner.

« Le galant de Linnou, chuchotait-il.

— Oh, papa, non mais tu me vois mariée à Stanley Burnell ! »

Eh bien, ce mariage avait eu lieu. Et qui plus est, elle aimait Stanley. Non pas celui que tout le monde voyait, celui de tous les jours ; mais un Stanley timide, sensible, innocent, qui chaque soir s'agenouillait pour dire ses prières, qui avait l'ardent désir d'être bon. Stanley était un homme simple. Quand il avait confiance — comme il avait confiance en elle, par exemple — il y mettait tout son cœur. Il était incapable de déloyauté ; incapable de mentir.

---

6. **married :** ce souvenir est évoqué plus longuement dans *L'Aloès*. Harold Beauchamp, le père de K.M., était roux flamboyant.

7. **... a lie :** cette évocation complète d'intéressante façon l'image que nous avions de Stanley.

And how terribly he suffered if he thought anyone—she—was not being dead straight, dead sincere with him! "This is too subtle for me!" He flung out the words, but his open, quivering, distraught look was like the look of a trapped beast.

But the trouble was—here Linda felt almost inclined to laugh, though heaven knows it was no laughing matter—she saw *her* Stanley so seldom. There were glimpses, moments, breathing spaces of calm, but all the rest of the time it was like living in a house that couldn't be cured of the habit of catching fire, or a ship that got wrecked every day. And it was always Stanley who was in the thick of the danger. Her whole time was spent in rescuing him, and restoring him, and calming him down, and listening to his story. And what was left of her time was spent in the dread of having children[1].

Linda frowned; she sat up quickly in her steamer chair and clasped her ankles. Yes, that was her real grudge against life; that was what she could not understand. That was the question she asked and asked[2], and listened in vain for the answer. It was all very well to say it was the common lot of women to bear children. It wasn't true. She, for one, could prove that wrong. She was broken, made weak, her courage was gone, through child-bearing. And what made it doubly hard to bear was, she did not love her children[3].

---

1. **having children**: K.M. reproduit ici le schéma maternel: femme délicate d'un gaillard (dans *L'Aloès,* elle le dépeint en terre-neuve, affectueux et envahissant...), elle vécut dans la hantise d'une grossesse. Annie Beauchamp eut cinq enfants: Vera, Charlotte, Gwendoline (morte à trois mois), Kathleen et Leslie Heron.

2. **asked**: aux interrogations de Linda, K.M. mêle les siennes propres. Enceinte au hasard de ses errances sexuelles, elle fit une fausse couche, eut des ennuis gynécologiques mal soignés, devint stérile. Elle professa une horreur, une terreur, une hantise de l'enfantement où se lit

Et à quel point il souffrait s'il soupçonnait quelqu'un — elle — de n'être pas absolument franc, absolument sincère, avec lui ! « C'est trop compliqué pour moi ! » Il balançait ces paroles, mais son expression désarmée, frémissante, égarée, était celle d'un animal pris au piège.

Mais l'ennui — ici, Linda eut presque envie de rire, bien qu'il n'y eût, Dieu sait, rien de risible là-dedans — c'est que son Stanley, elle le voyait si rarement. Il y avait des échappées, des moments, des plages de calme, mais tout le reste du temps on avait l'impression de vivre dans une maison qui avait l'incurable habitude de prendre feu, ou sur un navire qui faisait quotidiennement naufrage. Et c'est toujours Stanley qui se trouvait au vif du danger. Le plus clair de son temps se passait à le secourir, le réconforter, l'apaiser, écouter son récit. Et le peu de temps qu'il lui restait s'abîmait dans la terreur des maternités.

Linda fronça les sourcils ; elle se redressa prestement sur son transat et s'étreignit les chevilles. Oui, voilà, cette dent qu'elle avait contre la vie, c'était ça ; voilà ce qui échappait à son entendement ; la question qu'elle posait, qu'elle posait encore, et dont elle attendait en vain la réponse. C'était bien joli d'affirmer que c'est le sort commun des femmes de mettre au monde des enfants. Ce n'était pas vrai. Elle, pour commencer, pouvait démontrer le contraire. Elle se trouvait brisée, affaiblie, vidée de tout courage, à chaque grossesse. Et ce qui rendait la chose deux fois plus dure à supporter, c'est qu'elle n'aimait pas ses enfants.

---

beaucoup de désarroi. Mariée à John Middleton Murry, elle désira un enfant. On peut penser à l'ouvrage d'E. Badinter : *L'Amour en plus*.

3. **children** : en tout cas, Annie Beauchamp n'aimait guère Kass, cette fille insolite, et préférait ses autres enfants.

It was useless pretending. Even if she had had the strength she never would have nursed and played with[1] the little girls. No, it was as though a cold breath had chilled her through and through on each of those awful journeys; she had no warmth[2] left to give them. As to the boy— well, thank heaven, mother had taken him; he was mother's, or Beryl's, or anybody's who wanted him. She had hardly held him in her arms. She was so indifferent about him, that as he lay there... Linda glanced down.

The boy had turned over. He lay facing her, and he was no longer asleep. His dark-blue, baby eyes were open; he looked as though he was peeping[3] at his mother. And suddenly his face dimpled; it broke into a wide, toothless smile, a perfect beam, no less[4].

"I'm here!" that happy smile seemed to say. "Why don't you like me?"

There was something so quaint, so unexpected about that smile that Linda smiled herself. But she checked herself and said to the boy coldly, "I don't like babies."

"Don't like babies?" The boy couldn't believe her. "Don't like *me*?" He waved his arms foolishly at his mother.

Linda dropped off her chair on to the grass[5].

"Why do you keep on smiling?" she said severely. "If you knew what I was thinking about, you wouldn't[6]."

---

1. **with**: exemple d'une construction impossible en français. Un verbe transitif et un intransitif mis en facteur commun, avec le même complément.

2. **warmth**: K.M., désemparée à la suite de sa fausse couche, se fait envoyer en Bavière, où elle est convalescente, un enfant à soigner. Ainsi fut fait. Pendant quelques semaines, elle s'occupa d'un petit garçon relevant de pleurésie. Ce fut son seul enfant.

3. cf. **at peep of day**: *au point du jour*.

4. **no less**: la scène est charmante, et pleine de santé. K.M. n'est jamais là où on l'attend. On assiste ici à une remise en cause, empreinte de bonne humeur et chaleureuse.

Inutile de jouer la comédie. Même si elle en avait eu la force, jamais elle n'aurait dorloté ses petites filles, jamais joué avec elles. Non, on eût dit qu'un souffle froid l'avait glacée jusqu'à la moelle à chacune de ces épouvantables expéditions ; il ne lui restait plus aucune chaleur à leur donner. Quant au petit — eh bien, Dieu merci, maman s'en est chargée, il est à maman, ou à Beryl ou à qui le veut. À peine l'avait-elle tenu dans ses bras. Il lui était si indifférent que, même installé là... Linda abaissa vers lui ses regards.

Le petit s'était retourné, le visage vers elle, et il ne dormait plus. Ses yeux bleu foncé de bébé étaient ouverts ; il avait l'air de regarder sa mère à la dérobée. Et tout à coup sa frimousse se creusa de fossettes, s'épanouit en un large sourire édenté, radieux à ravir, pas moins.

« Je suis là, semblait dire ce sourire heureux. Pourquoi ne m'aimes-tu pas ? »

Il y avait dans ce sourire quelque chose de si singulier, de si inattendu que Linda sourit à son tour. Mais elle se ressaisit et dit froidement au petit : « Je n'aime pas les bébés.

— Ne pas aimer les bébés ? » Le petit ne pouvait la croire. « Ne pas m'aimer, moi ? » Il gesticula comme un petit benêt en direction de sa mère.

Linda se laissa glisser de sa chaise longue sur le gazon.

« Pourquoi continues-tu à sourire ? dit-elle d'un ton sévère. Si tu savais à quoi je pense, tu cesserais. »

---

5. **grass :** Linda abandonne le transat — symbole de sa rêverie. La voici les pieds sur terre **(the grass).** Elle s'adresse à ce **"boy"** qui, une minute plus tôt, "était à qui le voulait".

6. Le "dialogue" est engagé. C'est désormais, pour Linda, un combat d'arrière-garde...

But he only squeezed up[1] his eyes, slyly, and rolled his head on the pillow. He didn't believe a word she said.

"We know all about that!" smiled the boy.

Linda was so astonished at the confidence[2] of this little creature... Ah no, be sincere[3]. That was not what she felt; it was something far different, it was something so new, so... The tears danced in her eyes; she breathed in a small whisper to the boy, "Hallo, my funny[4]!"

But by now the boy had forgotten his mother. He was serious again. Something pink, something soft waved in front of him. He made a grab at it and it immediately disappeared. But when he lay back, another, like the first, appeared. This time he determined to catch it[5]. He made a tremendous effort and rolled right over.

VII

The tide was out; the beach was deserted[6]; lazily flopped[7] the warm sea. The sun beat down, beat down hot and fiery on the fine sand, baking the grey and blue and black and white-veined pebbles[8]. It sucked up the little drop of water that lay in the hollow of the curved shells; it bleached[9] the pink convolvulus that threaded through and through the sand-hills.

---

1. **to squeeze up** (together): *se serrer* (les uns contre les autres). Les paupières se serrent, d'où cet emploi — inhabituel — du verbe.
2. **confidence**: to tell s.o. sthg in confidence: *en confidence*. Mais aussi, faux ami: *confiance*.
3. **sincere**: K.M., en somme, ne se lâche pas.
4. **my funny**: le rendez-vous, un peu bancal, a quand même eu lieu.
5. Autre construction possible: **he determined on catching it.**
6. **deserted**: le signe sans partage du soleil et de la canicule.

Mais pour toute réponse il plissa les yeux avec espièglerie et roula sa tête sur l'oreiller. Il ne croyait pas un mot de ce qu'elle disait.

« On connaît tout ça ! » sourit le petit.

Linda fut si médusée de l'assurance de ce petit être... Ah, non, de la sincérité. Elle n'éprouvait rien de ce genre, c'était quelque chose de bien différent, c'était quelque chose de si nouveau, de si... Les larmes dansaient dans ses yeux ; dans un imperceptible chuchotement, elle murmura à l'enfant : « Salut, mon petit drôle ! »

Mais à ce moment-là, le petit avait oublié sa mère. Il avait repris son sérieux. Une forme rose, une forme douce, s'agitait devant ses yeux. Il tenta de s'en saisir ; elle disparut aussitôt. Mais quand il se laissa retomber en arrière, une autre, semblable à la première, apparut. Cette fois, il résolut de l'attraper. Et au terme d'un effort colossal, il fit un beau petit tonneau.

7

La marée était basse ; la plage était déserte ; nonchalante, venait battre la mer tiède. Ardent, brûlant, le soleil tapait, tapait sur le sable fin, cuisant les galets gris, bleus, noirs, veinés de blanc. Il pompait la petite goutte d'eau au creux des coquillages incurvés ; il décolorait les liserons roses qui promenaient leurs guirlandes du haut en bas des dunes.

---

7. **flop** véhicule une notion de lourdeur, de mollesse. K.M. a une grande maîtrise stylistique. La mer elle-même est victime de la chaleur.

8. La répétition de **and**, fréquente en anglais, apporte ici une note supplémentaire de fatigue, et d'implacabilité ; rien n'échappe au soleil.

9. **bleached** : le soleil, dans l'anéantissement général, déploie une activité fébrile.

Nothing seemed to move but the small sand-hoppers[1]. Pit-pit-pit! They were never still.

Over there on the weed-hung[2] rocks that looked at low tide like shaggy beasts come down to the water to drink, the sunlight seemed to spin like a silver coin dropped into each of the small rock pools. They danced, they quivered, and minute ripples laved[3] the porous shores[4]. Looking down, bending over, each pool was like a lake with pink and blue houses clustered on the shores; and oh! the vast mountainous country behind those houses—the ravines, the passes, the dangerous creeks and fearful tracks that led to the water's edge. Underneath waved the sea-forest— pink thread-like trees, velvet anemones, and orange berry-spotted weeds. Now a stone on the bottom moved, rocked, and there was a glimpse of a black feeler[5]; now a thread-like creature wavered by and was lost. Something was happening to the pink, waving trees; they were changing to a cold moonlight blue. And now there sounded the faintest "plop." Who made that sound? What was going on down there? And how strong, how damp the seaweed smelt in the hot sun[6]...

The green blinds were drawn in the bungalows of the summer colony. Over the verandas, prone on the paddock, flung over the fences, there were exhausted-looking bathing-dresses[7] and rough striped towels.

---

1. **sand-hopper**: *talitre, puce de mer.*

2. **weed-hung**: m. à m. *auxquels sont suspendues des algues* (autres ex.: **moth-eaten**, *mangé aux mites*; **duty-bound**, *lié, obligé par devoir*).

3. **to lave** [leiv] appartient au registre poétique. Il arrive souvent à K.M. de privilégier des mots d'allure française.

4. **shores**: nous suivons K.M. avec bonheur jusqu'aux **"porous shores"**, pas au-delà.

5. **feeler**: *tentacule* ou (insecte) *antenne*. Mais *antenne de télévision*: **aerial**.

Rien ne semblait bouger que les petites puces des sables. Pit-pit-pit ! Elles n'étaient jamais en repos.

Là-bas, sur les rochers frangés d'algues qui semblaient, à marée basse, autant de bêtes à longs poils rudes descendues au bord de l'eau pour boire, le soleil paraissait tournoyer comme une pièce d'argent qu'on aurait laissée tomber dans chacune des petites flaques du rocher. Elles dansaient, elles frissonnaient, et d'infimes ridules venaient baigner les bords poreux. En plongeant le regard, en se penchant, chaque flaque devenait un lac dont les rives portaient des grappes de maisons roses et bleues ; et oh ! la vaste étendue montagneuse derrière ces maisons — ces ravins, défilés, criques dange-reuses, pistes effrayantes conduisant au bord de l'eau. Sous la surface ondulait la forêt marine — arbres roses échevelés, anémones de velours, algues piquées de baies orangées. Tantôt sur le fond une pierre bougeait, oscillait, laissant entr'apercevoir un noir tentacule ; tantôt, une créature filiforme passait en chancelant et disparaissait. Il arrivait quelque chose aux arbres roses ondulants ; ils prenaient une froide teinte bleue de clair de lune. Soudain, un impercep-tible « plouf » se faisait entendre. De qui venait ce bruit ? Que se passait-il dans ces profondeurs ? Et quelle odeur forte et moite exhalaient les algues sous le soleil brûlant...

Les stores verts étaient baissés dans les bungalows de la colonie estivale. Sur les vérandas, avachis sur l'herbe des enclos, balancés sur les palissades, s'étalaient les costumes de bain au dernier degré de l'épuisement, et de rugueuses serviettes rayées.

---

6. **hot sun** : on peut reprocher à un paragraphe comme celui-ci une certaine gratuité. L'infiniment petit, certes, mais pas seulement pour le plaisir ; la description doit avoir quelque lien avec l'ensemble. Un certain ombilisme, ici, nous fait quelque peu perdre patience.

7. **bathing-dresses** : la vision des maillots de bain épars vient à nouveau nous ravir. Quelle canicule, quel laisser-aller dans la fraîcheur des bungalows, quelles siestes débraillées, suggèrent ces trois lignes !

Each back window seemed to have a pair of sand-shoes on the sill and some lumps of rock or a bucket or a collection of pawa[1] shells. The bush quivered in a haze of heat; the sandy road was empty except for the Trouts' dog Snooker[2], who lay stretched in the very middle of it. His blue eye was turned up, his legs stuck out stiffly, and he gave an occasional desperate sounding puff, as much as to say he had decided to make an end of it and was only waiting for some kind cart to come along.

"What are you looking at, my grandma? Why do you keep stopping and sort of staring at the wall?"

Kezia and her grandmother were taking their siesta together[3]. The little girl, wearing only her short drawers[4] and her underbodice, her arms and legs bare, lay on one of the puffed-up[5] pillows of her grandma's bed, and the old woman, in a white ruffled dressing-gown, sat in a rocker[6] at the window, with a long piece of pink knitting in her lap. This room that they shared, like the other rooms of the bungalow, was of light varnished wood and the floor was bare. The furniture was of the shabbiest[7], the simplest. The dressing-table, for instance, was a packing-case in a sprigged muslin[8] petticoat, and the mirror above was very strange; it was as though a little piece of forked lightning was imprisoned in it.

1. **pawa** (ou : **paua**) : *crustacé* très répandu en Nouvelle-Zélande. Sa coquille bleu irisé, verte, rouge à l'intérieur, est très appréciée comme souvenir.

2. **snooker** : sorte de *jeu de billard*. Familier : **to snooker sbd** : *mettre qqn dans une impasse.* Cela convient bien au brave chien des Trout (on le retrouve dans *L'Aloès*). Ses petits maîtres, Pip et Rags, ont une façon un peu traumatisante de l'inclure dans leurs jeux.

3. **together** : de même, dans *L'Aloès,* Kezia et sa Grandma partagent la même chambre.

4. Dans le sens du texte, **drawers** est toujours au pl. Signifie également : *tiroir.* **A chest of drawers** : *une commode.*

5. **puffed up face** : *visage bouffi.*

Chaque fenêtre de derrière semblait garnie sur son rebord d'une paire d'espadrilles, divers fragments de rocher, ou un seau, ou un assortiment de coquilles de pawa. La brousse frémissait dans une brume de chaleur ; la route sablonneuse était déserte, à l'exception de Snooker, le chien des Trout, étendu de tout son long au beau milieu. L'œil bleu au ciel, les pattes étirées et toutes raides, il envoyait de temps en temps une sonore bouffée de souffle, comme pour dire qu'il avait décidé d'en finir et n'attendait plus que le passage de quelque tombereau charitable.

« Qu'est-ce que tu regardes, ma bonne-maman ? Pourquoi tu t'arrêtes tout le temps et tes yeux se fixent sur le mur, on dirait ? »

Kezia et sa grand-mère faisaient la sieste ensemble. La fillette, vêtue de sa seule culotte courte et de son cache-corset, bras et jambes nus, reposait sur un des oreillers rebondis du lit de sa bonne-maman, et la vieille femme, en déshabillé blanc à jabot, était assise à la fenêtre, dans un fauteuil à bascule, un long tricot rose sur les genoux. Cette chambre qu'elles partageaient était, comme les autres pièces du bungalow, en boiserie légère vernie, et le plancher était nu. Le mobilier était on ne peut plus simple et succinct. La coiffeuse, par exemple, était une caisse d'emballage enjuponnée de mousseline à ramages, et le miroir, au-dessus, était très bizarre ; on avait l'impression qu'un petit fragment d'éclair en zigzag y était emprisonné.

---

6. **rocker** : terme familier, et plutôt américanisme : *rocking-chair*. Indispensable, dans une atmosphère "coloniale".

7. **shabby** a d'ordinaire un sens péjoratif : *élimé, minable, délabré...* Dans ce contexte délicieux, c'est exclu (d'ailleurs, dans cette chambre, qui se soucie de la qualité des meubles ?). Plutôt le sens, archaïsant, de : *chiche*.

8. **muslin** : le tissu, léger et "colonial", domine cette évocation : les gros oreillers, le déshabillé blanc, le jupon de mousseline à ramages.

On the table there stood a jar of sea-pinks, pressed so tightly together they looked more like a velvet pin-cushion, and a special shell which Kezia had given[1] her grandma for[2] a pin-tray, and another even more special which she had thought would make a very nice place for a watch to curl up in.

"Tell me, grandma," said Kezia.

The old woman sighed, whipped the wool twice round her thumb, and drew the bone needle through. She was casting on.

"I was thinking of your Uncle William, darling[3]," she said quietly.

"My Australian Uncle William?" said Kezia. She had another.

"Yes, of course."

"The one I never saw?"

"That was the one."

"Well, what happened to him?" Kezia knew perfectly well, but she wanted to be told again.

"He went to the mines[4], and he got a sunstroke there and died," said old Mrs. Fairfield.

Kezia blinked and considered the picture again... A little man fallen over like a tin soldier by the side of a big black hole[5].

"Does it make you sad[6] to think about him, grandma?" She hated her grandma to be sad.

---

1. **given**: les petits cadeaux de Kezia à sa bonne-maman. Dans *L'Aloès*, on la voit confectionner un joli décor dans une boîte d'allumettes et lui en faire la "surprise" — convenue, bien sûr.

2. **for**, dans le sens de: **instead of**: *en guise de*; dans le sens de: *en tant que*, l'anglais utilise l'article indéfini, qui est explétif en français. **I'll use this cup for a glass**: *en guise de verre*; **I'm glad to have him for a nephew**: *pour neveu*.

3. **darling**: inutile de préciser qu'il existe entre la grand-mère et la petite-fille une formidable complicité. K.M., mal aimée de sa mère, connut un amour d'enfance comparable.

4. **mines**: *mine* d'or, de charbon, ou de sel.

74

Sur la table, se trouvait un pot d'œillets maritimes en une touffe si serrée qu'ils ressemblaient plutôt à une pelote à épingles en velours, un coquillage spécial que Kezia avait offert à sa bonne-maman comme coupe à épingles, et un autre, encore plus spécial dont elle avait pensé qu'il ferait un très joli écrin pour y lover une montre.

« Dis-moi, bonne-maman », dit Kezia.

La vieille dame soupira, fit avec la laine une double boucle autour de son pouce, d'un geste vif, et la traversa avec l'aiguille en os. Elle montait des mailles.

« J'étais en train de penser à ton oncle William, ma chérie, dit-elle doucement.

— Mon oncle William d'Australie ? » demanda Kezia. Elle en avait un autre.

« Oui, bien sûr.

— Celui que je n'ai jamais vu ?

— Voilà, exactement.

— Euh, qu'est-ce qui lui est arrivé ? » Kezia le savait parfaitement, mais elle voulait entendre une nouvelle fois le récit.

« Il est allé dans les mines, il y a attrapé une insolation et il est mort », dit la vieille Mrs. Fairfield.

Kezia plissa les yeux et réexamina le tableau. Un petit homme renversé comme un soldat de plomb au bord d'un grand trou noir.

« Ça te rend triste, de penser à lui, bonne-maman ? » Elle avait horreur que sa bonne-maman fût triste.

---

5. La représentation mentale d'un individu mort se fait souvent, chez K.M., sous la forme d'une image minuscule. Cf. la petite fille du garçon coiffeur, vue comme une petite poupée.

6. **sad** : ce n'est pas le sort de l'oncle William, inconnu, qui attriste Kezia, mais la tristesse de sa grand-mère.

It was the old woman's turn to consider. Did it make her sad? To look back, back. To stare down[1] the years, as Kezia had seen her doing. To look after *them* as a woman does, long after *they* were out of sight[2]. Did it make her sad? No, life was like that.

"No, Kezia."

"But why[3]?" asked Kezia. She lifted one bare arm and began to draw things in the air[4]. "Why did Uncle William have to die? He wasn't old."

Mrs. Fairfield began counting the stitches in threes[5]. "It just happened," she said in an absorbed voice.

"Does everybody have to die?" asked Kezia.

"Everybody!"

"*Me*[6]?" Kezia sounded fearfully incredulous.

"Some day, my darling."

"But, grandma." Kezia waved her left leg and waggled the toes. They felt sandy[7]. "What if I just won't?"

The old woman sighed again and drew a long thread from the ball.

"We're not asked, Kezia[8]," she said sadly. "It happens to all of us sooner or later."

Kezia lay still thinking this over. She didn't want to die.

---

1. **down** de préférence à **back at,** complétant ainsi la notion de rétrospective par une suggestion spatiale (cf. p. 44 note 1).

2. **out of sight, out of mind :** *loin des yeux, loin du cœur.*

3. **why ? :** les très grandes interrogations d'une enfant surgissent ainsi dans un contexte d'affection absolue.

4. **... in the air :** les notations des gestes de Kezia pendant qu'elle parle nous la montrent euphorique. Nulle angoisse, dans cette chambre fraîche pendant la canicule, auprès de cette grandma adorée, si patiente malgré ses soupirs.

5. **threes :** to cut a cake in three : *en trois.* **Three by three, in threes, three at a time :** *par trois.*

6. **me :** langage familier (très répandu). **I** serait plus rigoureux grammaticalement.

Ce fut à la vieille dame de réfléchir. Est-ce que ça la rendait triste ? Regarder loin, loin derrière. Contempler la longue cohorte des années, comme elle venait de le faire sous les yeux de Kezia. Garder l'œil sur *eux*, comme le fait une femme, longtemps après leur disparition hors de vue. Est-ce que ça la rendait triste ? Non, la vie était ainsi.

« Non, Kezia.

— Mais pourquoi ? » demanda Kezia. Elle leva un bras nu et se mit à dessiner des choses dans l'air. « Mais pourquoi il a fallu qu'il meure, l'oncle William ? Il n'était pas vieux. »

Mrs. Fairfield entreprit de compter les mailles par trois. « C'est arrivé comme ça », répondit-elle, d'un ton absorbé.

« Est-ce que tout le monde est obligé de mourir ? demanda Kezia.

— Tout le monde !

— Aussi moi ? » Dans la voix de Kezia, une terrible incrédulité.

« Quelque jour, ma chérie.

— Mais, bonne-maman. » Kezia agita sa jambe gauche et frétilla des orteils. Du sable y crissait. « Et si je ne veux pas, et voilà ? »

La vieille femme soupira de nouveau et tira une bonne longueur de la pelote.

« On ne nous consulte pas, Kezia, dit-elle tristement. Ça nous arrive à tous, tôt ou tard. »

Kezia demeura immobile, tout à ses réflexions. Elle ne voulait pas mourir.

---

7. La concomitance d'une notation sur l'instant présent et des élans métaphysiques est délicieuse et combien juste.

8. **Kezia :** dans un milieu moins libre, la référence à Dieu, au ciel, au "petit Jésus" serait automatique, chez la vieille dame en tout cas, s'adressant à l'enfant.

It meant she would have to leave here, leave everywhere, for ever, leave—leave her grandma[1]. She rolled over quickly[2].

"Grandma," she said in a startled voice.

"What, my pet!"

"*You're* not to die[3]." Kezia was very decided.

"Ah, Kezia"—her grandma looked up and smiled and shook her head—"don't let's talk about it."

"But you're not to. You couldn't leave me. You couldn't not be there." This was awful. "Promise me you won't ever do it, grandma," pleaded Kezia.

The old woman went on knitting[4].

"Promise me! Say never!"

But still her grandma was silent.

Kezia rolled off the bed; she couldn't bear it any longer, and lightly she leapt on to her grandma's knees, clasped her hands round the old woman's throat and began kissing her, under the chin, behind the ear, and blowing down her neck[5].

"Say never... say never... say never—" She gasped between the kisses. And then she began, very softly and lightly, to tickle her grandma.

"Kezia!" The old woman dropped her knitting[6]. She swung back in the rocker. She began to tickle Kezia[7].

---

1. **leave** : "Ay, there's the rub."

2. **quickly** : mais chez l'enfant, l'action vient prendre le relais de la réflexion, quand celle-ci devient insupportable.

3. C'est bien là que le bât blesse, en effet. L'idée de sa propre mort ne peut être qu'une abstraction pour la petite fille. Mais il est logique de concevoir la mort de sa grand-mère, puisque c'est une vieille personne. L'idée insupportable devient alors : vivre sans grandma.

4. **knitting** : le k initial ne se prononce pas.

5. **down her neck** : toute la fin — charmante — de la scène illustre le retour, par le geste, à la joie de vivre et son triomphe. C'est le schéma d'un enterrement fictif qui se termine par la joie de la vie.

Ça voulait dire qu'il lui faudrait partir d'ici, partir de partout, pour toujours, quitter... quitter sa bonne-maman. Elle se retourna promptement.

« Bonne-maman, dit-elle d'une voix saisie.

— Quoi, mon lapin ?

— Toi, il ne faut pas que tu meures. » Kezia parlait avec beaucoup de résolution.

« Ah, Kezia... » Sa bonne-maman leva les yeux, sourit et hocha la tête. « Ne parlons pas de ça.

— Mais je t'assure, il ne faut pas. Tu ne pourrais pas me quitter. Tu ne pourrais pas ne pas être là. » Cette pensée était abominable. « Promets-moi que jamais tu ne feras ça, bonne-maman », implora Kezia.

La vieille dame s'absorba dans son tricot.

« Promets-le-moi ! Dis : jamais ! »

Mais sa bonne-maman s'enfermait dans le silence.

Kezia se laissa dégringoler à bas du lit ; incapable de supporter cette tension plus longtemps, elle sauta, légère, sur les genoux de sa bonne-maman, étreignit des deux mains la gorge de la vieille femme et se mit à l'embrasser, sous le menton, derrière l'oreille, et à lui souffler dans le cou.

« Dis jamais... dis jamais... dis jamais... » Elle haletait entre les baisers. Puis elle commença, tout doucement, tout légèrement, à chatouiller sa bonne-maman.

« Kezia ! » La vieille dame abandonna son tricot. Elle imprima au fauteuil un basculement en arrière. Elle se mit à chatouiller Kezia.

---

6. **knitting** : ce tricot, qui fait presque partie de sa personne (elle ne s'en sépare pas, même sur la plage). Elle le lâche, ici : un peu de jeunesse lui revient.

7. **to tickle Kezia** : la grand-mère vit l'instant, elle aussi. Aimante et naturelle, elle n'est pas étouffée sous les principes et les comportements convenus. Elle laisse avec affection triompher l'enfance.

"Say never, say never, say never," gurgled Kezia, while they lay there laughing in each other's arms. "Come, that's enough, my squirrel! That's enough, my wild pony!" said old Mrs. Fairfield, setting her cap straight. "Pick up my knitting."

Both of them had forgotten what the "never" was about.

VIII

The sun was still full on the garden when the back door of the Burnells' shut with a bang[1] and a very gay figure walked down the path to the gate. It was Alice, the servant girl, dressed for her afternoon out. She wore a white cotton dress with such large red spots on it, and so many that they made you shudder, white[2] shoes and a leghorn[3] turned up under the brim with poppies. Of course[4] she wore gloves, white ones, stained at the fastenings with iron-mould, and in one hand she carried a very dashed-looking sunshade which she referred to as her *perishall*[5].

Beryl, sitting in the window, fanning her freshly washed hair, thought she had never seen such a guy[6]. If Alice had only blacked her face with a piece of cork before she started out the picture would have been complete[7].

---

1. **bang**: Alice fait une sortie, au sens théâtral du terme : ce claquement de porte, elle l'a bien gagné.

2. **white**: le blanc, c'est pour la bonne la couleur de la liberté (ainsi que le rouge).

3. **leghorn**: c'est le nom anglais de la ville toscane de Livourne, ville céréalière, célèbre pour sa paille particulière, coupée verte et blanchie, utilisée dans la fabrication des non moins célèbres chapeaux. C'est aussi une race de poule.

4. **of course**: peuple singe du maître...

5. **perishall**: c'est, bien sûr, a parasol ['paerəsɔl], *une ombrelle*.

6. **... a guy**: Beryl force le trait.

«Dis jamais, dis jamais, dis jamais», gazouillait Kezia, tandis qu'étendues là, elles riaient dans les bras l'une de l'autre. «Allez, ça suffit, mon écureuil ! Ça suffit, mon poney sauvage !» dit la vieille Mrs. Fairfield en rajustant sa coiffe. «Ramasse mon tricot.»

Elles avaient toutes deux oublié à quoi rimait ce ''jamais''.

8

Le soleil donnait à plein dans le jardin des Burnell quand la porte de derrière se referma avec un claquement et une silhouette très éclatante descendit l'allée qui menait au portail. C'était Alice, la bonne, en grande tenue pour son après-midi de sortie. Elle portait une robe de coton blanc à pois rouges, larges et nombreux à vous donner la chair de poule, des souliers blancs, et un chapeau de paille d'Italie au bord retroussé par un paquet de coquelicots. Elle était gantée, cela va sans dire, de gants blancs cerclés de taches de rouille aux boutons-pression, et elle arborait dans une main une ombrelle sacrément chic qui prenait dans sa bouche le nom de *périsole*.

Beryl, assise sur le rebord de la fenêtre, en train d'éventer ses cheveux frais lavés, se dit qu'elle n'avait jamais vu pareil épouvantail. Du noir sur la figure, qu'Alice aurait passé au bouchon avant de se mettre en route, et le tableau était complet.

7. **complete :** difficile de déterminer si K.M. manie la traditionnelle ironie bourgeoise vis-à-vis du "service" en son nom propre ou au nom de Beryl. L'auteur s'incarne d'ailleurs partiellement dans divers personnages, dont Linda et Beryl.

And where did a girl like that go to in a place like this? The heart-shaped Fijian[1] fan beat scornfully[2] at that lovely bright mane. She supposed Alice had picked up some horrible common larrikin[3] and they'd go off into the bush together. Pity to make herself so conspicuous; they'd have hard work to hide[4] with Alice in that rig-out[5].

But no, Beryl was unfair. Alice was going to tea with Mrs. Stubbs, who'd sent her an "invite[6]" by the little boy who called for orders. She had taken ever such a liking to Mrs. Stubbs ever since the first time she went to the shop to get something for her mosquitoes.

"Dear heart!" Mrs. Stubbs had clapped her hand to her side. "I never seen[7] anyone so eaten. You might have been attacked by canningbals[8]."

Alice did wish there'd been a bit of life on the road though. Made[9] her feel so queer, having nobody behind her. Made her feel all weak in the spine. She couldn't believe that someone wasn't watching her. And yet it was silly to turn round; it gave you away[10]. She pulled up her gloves, hummed to herself and said to the distant gum tree, "Shan't be long now." But that was hardly company[11].

Mrs. Stubbs's shop was perched on a little hillock just off the road.

---

1. **Fijian**: les îles Fidji ne sont pas loin.
2. **scornfully**: l'hypallage est ici très forte. L'éventail (en forme de cœur) est amoureux de la chevelure qu'il évente, et les aventures supposées d'une boniche (imaginées en silence sous la chevelure) le soulèvent de mépris.
3. **larrikin** est un australianisme.
4. **to hide**: Beryl, nous l'avons vu et le verrons mieux encore à la fin de la nouvelle, est dans un état de grande tension et d'attente sexuelle.
5. **rig-out** (fam.): origine navale, **rigging**, *la voilure*.
6. **invite**: le peuple (et les enfants) abrège volontiers les mots.
7. **I never seen**: syntaxe fautive: **I've never seen**.
8. **canningbal**: mot écorché: **cannibals**.

Et une fille comme celle-là, où pouvait-elle bien aller, dans un endroit comme celui-ci ? L'éventail fidjien en forme de cœur eut des palpitations dédaigneuses auprès de la splendide crinière éclatante. Beryl supposa qu'Alice s'était dégoté quelque vilain pendard et qu'ils fileraient dans la brousse tous les deux. Dommage, de se rendre si voyante ; ça n'allait pas être une mince affaire, de passer inaperçus, avec Alice nippée de cette façon.

Mais non, Beryl était injuste. Alice allait prendre le thé avec Mrs. Stubbs, qui lui avait envoyé une ''invite'' par le gamin qui passait prendre les commandes. Elle s'était prise d'une amitié énorme pour Mrs. Stubbs dès sa toute première visite dans son magasin, où elle voulait quelque chose pour ses moustiques. « Eh bien, ma cocotte ! » Mrs. Stubbs s'était donné une bonne tape sur le flanc. « J'ai jamais vu quelqu'un si dévoré. A croire que vous avez été attaquée par des caninebales. »

Alice aurait bien voulu qu'il y ait un peu de mouvement sur la route, quand même. Ça ne la mettait pas dans son assiette, de n'avoir personne derrière elle. Elle en avait, comme qui dirait, l'échine en coton. Elle ne pouvait pas croire qu'il n'y avait pas quelqu'un à la guetter. Et quand même, c'était idiot, de se retourner ; ça vous trahissait. Elle remonta ses gants, se fredonna un air et dit à l'eucalyptus, là-bas, au loin : « J'en ai plus pour longtemps, maintenant. » Mais comme compagnie, c'était un peu juste.

La boutique de Mrs. Stubbs était perchée sur un petit mamelon à deux pas de la route.

---

9. **made** : la double suppression du sujet **it** donne une impression d'accélération. Alice, en effet, peu rassurée, presse le pas.

10. **to give away (someone, a secret)** : *dénoncer qqn, trahir un secret.*

11. **company** : on l'a déjà vu, cet eucalyptus, dans la brume de l'aube.

It had two big windows for eyes, a broad veranda for a hat, and the sign on the roof, scrawled MRS. STUBBS'S, was like a little card stuck rakishly in the hat crown[1].

On the veranda there hung a long string of bathing-dresses, clinging together as though they'd just been rescued from the sea rather than waiting to go in, and beside them there hung a cluster of sand-shoes so extraordinarily mixed that to get at one pair you had to tear apart and forcibly separate at least fifty[2]. Even then it was the rarest[3] thing to find the left that belonged to the right. So many people had lost patience and gone off with one shoe that fitted and one that was a little too big... Mrs. Stubbs prided herself on keeping something of everything. The two windows, arranged in the form of precarious pyramids, were crammed so tight, piled so high, that it seemed only a conjuror could prevent them from toppling over. In the left-hand corner of one window, glued to the pane by four gelatine[4] lozenges[5], there was—and there had been from time immemorial[6]—a notice:

LOST! HANSOME GOLE[7] BROOCH
SOLID GOLD
ON OR NEAR BEACH
REWARD OFFERED

---

1. **crown** : qui voit ainsi la maison ? L'auteur ? Alice ? Un exemple — ils sont rares — de non caractérisation du discours ; en fait, un exceptionnel relâchement de l'esprit d'autocritique chez l'auteur.

2. **...fifty** : on trouve également dans *L'Aloès* et dans *"Prélude"* une description, plus touffue, de la boutique.

3. **rare** : peut avoir le sens de : *fameux, fier*. **We had a rare fun** : *on s'est fameusement amusés.* **He is a rare one for music** : *c'est un fou de musique.*

Elle avait deux grandes vitrines en guise d'yeux, une large véranda pour chapeau et le gribouillis d'enseigne sur le toit, CHEZ MRS STUBBS, avait l'allure d'une petite carte fichée avec désinvolture sur la calotte du chapeau.

Sur la véranda, se balançait un long chapelet de costumes de bain, cramponnés les uns aux autres comme s'ils venaient d'être arrachés à la mer, bien peu enclins à s'y plonger, et à côté d'eux pendait une grappe d'espadrilles en un tel embrouillamini que pour en extraire une paire, il fallait en dépareiller brutalement et en séparer de force au moins cinquante. Même alors, trouver le pied gauche qui appartenait au pied droit tenait du miracle. Tant de gens avaient perdu patience et s'en étaient allés avec une sandale de la bonne taille et une autre un peu trop grande... Mrs. Stubbs se faisait une gloire d'avoir en magasin un peu de tout. Les deux vitrines offraient aux regards de périlleuses pyramides, bourrées à craquer, vertigineusement empilées, dont l'équilibre ne pouvait dépendre, apparemment, que des seuls pouvoirs d'un prestidigitateur. Dans le coin gauche d'une des vitrines, collé à la vitre par quatre pastilles de gélatine, se trouvait — et cela, de toute éternité — un avis :

PERDU! BELL BROCHE EN ORE
OR MASSIF
SUR PLAGE OU AUPRES
RECOMPENSE OFFERTE

4. **gelatine** : (dʒelə'tiːn).
5. **lozenge** : ('lɔzindʒ).
6. **time immemorial** : dans cette expression consacrée, l'adjectif vient toujours en seconde position.
7. Deux fautes d'orthographe : **handsome, gold.**

Alice pressed open the door. The bell jangled, the red serge curtains parted, and Mrs. Stubbs appeared. With her broad smile and the long bacon knife in her hand she looked like a friendly brigand. Alice was welcomed so warmly that she found it quite difficult to keep up her "manners." They consisted of persistent little coughs and hems, pulls at[1] her gloves, tweaks at her skirt, and a curious difficulty in seeing what was set before her or understanding what was said[2].

Tea was laid on the parlour[3] table—ham, sardines, a whole pound of butter, and such a large johnny cake[4] that it looked like an advertisement for somebody's baking powder. But the Primus[5] stove roared[6] so loudly that it was useless to try to talk above it. Alice sat down on the edge of a basket-chair[7] while Mrs. Stubbs pumped the stove still higher. Suddenly Mrs. Stubbs whipped the cushion off a chair and disclosed a large brown paper parcel[8].

"I've just had some new photers[9] taken, my dear," she shouted cheerfully to Alice. "Tell me what you think of them."

In a very dainty, refined way Alice wet her finger[10] and put the tissue[11] back from the first one. Life! How many there were! There were three dozzing[12] at least. And she held hers up to the light.

Mrs. Stubbs sat in an arm-chair, leaning very much to one side.

---

1. **at**: traduit l'insistance ou l'acharnement.
2. **...said**: pauvre Alice ! Toutes ces manières qu'elle s'impose ne sont que contraintes.
3. **parlour**: américanisme vieilli.
4. **johnny cake**: les petites filles en mangent, elles aussi, à l'école.
5. **Primus** se dit, ou se disait, aussi en français.
6. **roar**: *rugissement* (d'un fauve), *vrombissement* (d'un moteur). **Uproar**: *vocifération, clameur, tumulte.*
7. **basket**: *corbeille, panier;* employé comme attribut : **basket-making**: *vannerie,* **basket-maker**: *vannier;* dans l'ameublement : en rotin, en osier (comme dans le texte : **basket-chair**).

Alice ouvrit la porte d'une pression. La clochette sonnailla, les rideaux de serge rouge s'écartèrent, et Mrs. Stubbs apparut. Avec son large sourire et son long tranche-lard dans la main, elle avait l'air d'un bandit bienveillant. Alice reçut un accueil si chaleureux qu'elle éprouva bien du mal à conserver ses ''manières'': petits toussotements et hum...hum opiniâtres, tiraillements des gants, tortillements de la jupe, et une déconcertante difficulté à voir ce qu'on plaçait devant elle ou à comprendre ce qu'on disait.

Le thé était disposé sur la table du salon — jambon, sardines, toute une livre de beurre et une galette si grande qu'elle avait l'air d'une réclame pour quelque poudre à lever. Mais le réchaud à pétrole produisait un vrombissement si bruyant qu'il était vain d'essayer de le dominer en causant. Alice s'assit au bord d'une chaise en osier pendant que Mrs. Stubbs activait encore le réchaud. Tout à coup, Mrs. Stubbs ôta prestement le coussin d'une chaise et exposa un gros paquet enveloppé de papier d'emballage.

« Je viens de faire faire des nouvelles photôs, cria-t-elle gaiement à Alice. Dites-moi ce que vous en pensez. »

Avec beaucoup de délicatesse et de raffinement, Alice mouilla son doigt et retira le papier de soie qui protégeait la première. Seigneur ! Qu'il y en avait ! Au moins trois dozines. Elle présenta celle qu'elle tenait à la lumière.

Mrs. Stubbs était assise dans un fauteuil et penchait très nettement d'un côté.

---

8. **paper parcel :** l'emballage n'est jamais raffiné chez le peuple...
9. **photers :** prononciation fautive restituée : **photos.**
10. **finger :** elle a beau y mettre des formes, ça ne se fait pas.
11. **tissue :** ['tisju:].
12. **dozzing = dozen(s).**

There was a look of mild astonishment on her large face, and well there might be. For though the arm-chair stood on a carpet, to the left of it, miraculously skirting the carpet border, there was a dashing waterfall. On her right stood a Grecian pillar with a giant fern tree[1] on either side of it, and in the background towered a gaunt mountain, pale with snow.

"It is a nice style, isn't it?" shouted Mrs.Stubbs; and Alice had just screamed "Sweetly" when the roaring of the Primus stove died down, fizzled out, ceased, and she said "Pretty[2]" in a silence that was frightening.

"Draw up your chair, my dear," said Mrs. Stubbs, beginning to pour out. "Yes," she said thoughtfully, as she handed the tea, "but I don't care about the size. I'm having an enlargemint[3]. All very well for Christmas cards, but I never was the one for small photers myself. You get no comfort out of them. To say the truth, I find them dis'eartening[4]."

Alice quite saw what she meant.

"Size," said Mrs. Stubbs. "Give me size. That was what my poor dear husband was always saying. He couldn't stand anything small. Gave him the creeps. And, strange as it may seem, my dear"—here Mrs. Stubbs creaked and seemed to expand herself at the memory—"it was dropsy that carried him off at the larst[5]. Many's the time they drawn one and a half pints from 'im at the'ospital... It seemed like a judgmint[6]."

---

1. **fern tree**: *les fougères arborescentes* font partie du paysage néo-zélandais; on en compte cent soixante espèces. Certaines atteignent quinze mètres de haut.
2. **"Pretty"**: n'ayons garde d'oublier que K.M. a le sens du comique.
3. **enlargemint** = **enlargement**.
4. **dis'eartening** = **disheartening**; populaire, de laisser tomber les **h**.

Son gros visage arborait une expression de léger étonnement et il y avait de quoi. En effet, bien que le fauteuil se tînt sur un tapis, on voyait sur sa gauche, et en contournant miraculeusement le bord, une impétueuse cascade. A la droite du sujet, se dressait une colonne grecque flanquée de chaque côté d'une gigantesque fougère arborescente, et à l'arrière-plan, s'élevait une sinistre montagne, pâle de neige.

« C'est joli, comme genre, vous ne trouvez pas ? » cria Mrs. Stubbs ; et Alice venait de hurler "Adorablement" quand le grondement du réchaud s'apaisa, s'éteignit en grésillant, cessa, et son "Joli" tomba dans un silence proprement effrayant.

« Approchez votre chaise, ma chère », dit Mrs. Stubbs en commençant à verser le thé. « Oui, reprit-elle pensivement en tendant la tasse, mais le format ne me plaît pas. Je fais faire un agrandissemont. Parfait pour des cartes de Noël, mais moi j'ai jamais été pour les petites photôs. Elles vous apportent pas d'agrément. Tenez, je les trouve démoralisantes, pour dire. »

Alice voyait tout à fait ce qu'elle voulait dire.

« Le format, dit Mrs. Stubbs. C'est ça, qu'il faut, du format. C'est ce que disait toujours mon pauvre cher mari. Il ne pouvait supporter rien de petit. Ça lui faisait froid dans le dos. Et aussi bizarre que ça paraisse, ma chère — ici, Mrs. Stubbs grinça et parut se dilater à ce souvenir —, c'est l'hydropisie qui l'a emporté en fin de compte. Combien d'fois qu'ils y ont tiré un litre et demi, à le hôpital... Ç'avait tout l'air d'un châtiment. »

---

5. larst = at the last.
6. **Many a time — They've drawn — One and a half pint — Him — Hospital — Judgment.** Mrs. Stubbs accumule les fautes... dans son désir de donner de la solennité à ses propos ?

Alice burned to know exactly what it was that was drawn from him. She ventured, "I suppose it was water."

But Mrs. Stubbs fixed Alice with her eyes and replied meaningly, "It was *liquid*, my dear."

Liquid[1]! Alice jumped away from the word like a cat[2] and came back to it, nosing and wary.

"That's 'im! said Mrs. Stubbs, and she pointed dramatically to the life-size head and shoulders of a burly man with a dead[3] white rose in the button-hole[4] of his coat that made you think of a curl of cold mutton fat. Just below, in silver letters on a red cardboard ground, were the words, "Be not afraid[5], it is I."

"It's ever such a fine face," said Alice faintly.

The pale-blue bow on the top of Mrs. Stubbs's fair frizzy hair quivered. She arched her plump neck. What a neck she had! It was bright pink where it began and then it changed to warm apricot, and that faded to the colour of a brown egg and then to a deep creamy.

"All the same, my dear," she said surprisingly, "freedom's best!" Her soft, fat chuckle sounded like a purr. "Freedom's best", said Mrs. Stubbs again.

Freedom[6]! Alice gave a loud, silly little titter. She felt awkward. Her mind flew back to her own kitching[7]. Ever so queer! She wanted to be back in it again[8].

---

1. **liquid** : un premier mot troublant pour Alice. Le deuxième sera : **freedom**. Ces deux termes "déstabilisateurs", accompagnés de points d'exclamation, charpentent la scène.

2. **like a cat** : l'image est amusante.

3. **dead,** dans le sens de *éteint*. **Dead gold** : *or mat*. **Dead white** : *blanc mat*.

4. **button-hole** : s'écrit assez souvent en un seul mot : **buttonhole**.

5. **be not afraid** : langage noble ou biblique. Courant : **Don't be afraid**.

6. **freedom** : ce mot de *liberté*, qui surgit brusquement, va, curieusement, lui donner l'envie urgente de retourner dans sa cuisine, sa prison.

90

Alice brûlait de savoir exactement ce qu'on avait bien pu lui retirer. Elle hasarda : « Je suppose que c'était de l'eau. »

Mais Mrs. Stubbs fixa son regard sur Alice et répliqua sur un ton qui en disait long : « C'était du liquide, ma chère. »

Du liquide ! D'un bond, Alice s'écarta du mot, comme un chat, et revint à lui, avec prudence et circonspection.

« Le v'là ! », dit Mrs. Stubbs, et elle indiqua d'un geste théâtral le portrait grandeur nature du buste d'un homme costaud, la boutonnière de son veston ornée d'une rose blanc mat qui vous faisait penser à une rosette de suif de mouton froid. Juste au-dessous, en lettres d'argent sur fond de carton rouge, on lisait ces mots : ''Soyez sans crainte, c'est moi.''

« C'est vraiment une belle figure », dit Alice d'une voix éteinte.

Le nœud de ruban bleu pâle juché sur le sommet des blonds cheveux frisottés de Mrs. Stubbs eut un frémissement. Elle arqua son cou grassouillet. Quel cou elle avait ! Rose vif en son début, il virait ensuite à une chaude nuance abricot, qui perdait son éclat, devenait coquille d'œuf marron, pour finir en crème foncé.

« Tout de même, ma chère, reprit-elle contre toute attente, la liberté, c'est le mieux ! » Son petit gloussement flasque et replet avait tout du ronronnement. « La liberté, c'est le mieux », répéta Mrs. Stubbs.

La liberté ! Alice pouffa d'un sonore petit rire idiot. Elle se sentait embarrassée. Son esprit revint à tire-d'aile vers sa propre cuisine. Bizarre, ça alors ! Elle avait envie d'y être déjà de retour.

---

7. **kitching** = **kitchen**. La cuisine : son domaine, son refuge.

8. ... **again** : ici, encore, une de ces crises minuscules où K.M. excelle. Il a suffi d'une petite phrase et surtout d'un rire gras, pour qu'un gouffre sépare les deux femmes. La jeunesse et le romantisme d'Alice ont pris peur devant la vulgaire crudité, devinée, de l'expérience.

A strange company assembled in the Burnells' wash-house after tea. Round the table there sat a bull, a rooster[1], a donkey that kept forgetting it was a donkey, a sheep and a bee. The washhouse was the perfect place for such a meeting because they could make as much noise as they liked and nobody ever interrupted[2]. It was a small tin shed standing apart from the bungalow. Against the wall there was a deep trough[3] and in the corner a copper[4] with a basket of clothes-pegs on top of it. The little window, spun over with cobwebs[5], had a piece of candle and a mouse-trap on the dusty sill. There were clothes-lines criss-crossed[6] overhead and, hanging from a peg on the wall, a very big, a huge, rusty horseshoe. The table was in the middle with a form[7] at either side.

"You can't be a bee, Kezia. A bee's not an animal. It's a ninseck[8]."

"Oh, but I do want to be a bee frightfully," wailed Kezia... A tiny bee, all yellow-furry, with striped legs. She drew her legs up under her and leaned over the table. She felt she was a bee[9].

"A ninseck must be an animal," she said stoutly. "It makes a noise. It's not like a fish[10]."

---

1. **rooster** = **cock**: *fanfaron, fier-à-bras;* **roost**: *perchoir.*
2. **interrupted**: cf. la comptine: "I have a house where I go / When there's too many people / I have a house where I go / Where nobody ever says no."
3. **trough**: [trɔf].
4. **copper**: *cuivre;* en attribut: *de cuivre;* **copper wire**: *fil de cuivre;* fam.: *flic; cuve, bassine.*
5. **cobweb**: *(araignée: spider).* **The cobwebs of the law**: *les arcanes de la loi.*
6. Existe comme adverbe: **everything is going criss cross**: *tout marche de travers.*

Une étrange assemblée se réunit dans la buanderie des Burnell après le goûter. Autour de la table étaient assis un taureau, un coq, un âne qui n'arrêtait pas d'oublier qu'il était un âne, un mouton et une abeille. La buanderie était l'endroit idéal pour une telle réunion parce qu'on pouvait faire autant de bruit qu'on voulait et que personne ne venait jamais vous interrompre. C'était un petit hangar en tôle ondulée séparé du bungalow. Contre le mur se trouvait une profonde cuve, et dans le coin, une lessiveuse avec un corbeillon d'épingles à linge posé dessus. La petite fenêtre, tout obstruée d'un tissu de toiles d'araignées, avait un fond de bougie et une souricière sur son rebord poussiéreux. En hauteur, s'entrecroisaient des cordes à linge, et sur le mur, accroché à une cheville, pendait un énorme fer à cheval tout rouillé. La table se tenait au milieu, un banc de chaque côté.

« C'est pas possible que tu sois une abeille, Kezia. Une abeille n'est pas un animal. C'est un ninsèque.

— Oh, mais j'ai formidablement envie d'en être une, d'abeille », gémit Kezia... une toute petite abeille, une boule de poils jaunes, avec des pattes rayées. Elle remonta les jambes sous elle et se pencha par-dessus la table. Elle se sentait abeille devenue.

« Un ninsèque, c'est forcément un animal, dit-elle résolument. Ça fait du bruit. C'est pas comme un poisson.

---

7. **form** = **bench** : *banc.*
8. **ninseck** : parler enfantin : **an insect.** Cf. : **a nuncle, a naunt,** etc.
9. **she was a bee** : l'imaginative Kezia se vit en abeille.
10. **fish** : bien des gens tirent argument de son silence pour affirmer que le poisson ne souffre pas.

"I'm a bull, I'm a bull!" cried Pip. And he gave such a tremendous bellow[1]—how did he make that noise?—that Lottie looked quite alarmed.

"I'll be a sheep," said little Rags. "A whole lot of sheep went past this morning."

"How do you know?[2]"

"Dad heard them. Baa!" He sounded like the little lamb that trots behind and seems to wait to be carried[3].

"Cock-a-doodle-do!" shrilled Isabel. With her red cheeks and bright eyes she looked like a rooster[4].

"What'll I be?" Lottie asked everybody, and she sat there smiling, waiting for them to decide for her[5]. It had to be an easy one.

"Be a donkey[6], Lottie." It was Kezia's suggestion. "Hee-haw! You can't forget that."

"Hee-haw!" said Lottie solemnly. "When do I have to say it?"

"I'll explain, I'll explain," said the bull. It was he who had the cards. He waved them round his head. "All be quiet! All listen[7]!" And he waited for them. "Look here, Lottie." He turned up a card. "It's got two spots on it—see? Now, if you put that card in the middle and somebody else has one with two spots as well, you say 'Hee-haw,' and the card's yours."

---

1. **a pair of bellows** : *un soufflet* (pour le feu).

2. **you know ?** : un rappel heureux du début, déjà lointain, de la nouvelle et de la journée.

3. **... carried** : K.M. se montre toujours très attendrie par Rags.

4. **rooster** : le rouge est bien la couleur d'Isabel (sa capeline rouge). Animal dominant, comme d'ailleurs le taureau. Choix typiques, de même que celui de Kezia (esthétique et non appartenance) et de Rags (douceur et soumission).

5. **for her** : Lottie et ses "essais d'exister". C'est aussi une stratégie bien connue de "petite dernière" ; elle s'en remet aux autres : ainsi, ils ne l'oublieront pas.

— Moi, je suis un taureau, je suis un taureau ! » s'écria Pip. Et il poussa un beuglement si épouvantable — comment arrivait-il à produire ce bruit-là ? — que Lottie eut l'air tout effarouchée.

« Moi, je serai un mouton, dit le petit Rags. Il y en a eu plein qui sont passés ce matin.

— Comment tu le sais ?

— Papa les a entendus. Bê...ê ! » Il avait le bêlement du petit agneau qui trottine à l'arrière, avec l'air d'attendre qu'on le porte.

« Cocorico ! » lança Isabel d'une voix perçante. Avec ses joues rouges et ses yeux brillants, elle ressemblait à un coquelet.

« Et moi, qu'est-ce que je serai ? » demanda Lottie à la cantonade, et elle resta là, toute souriante, à attendre la décision des autres à sa place. Il en fallait un facile.

« Sois un âne, Lottie. » La suggestion venait de Kezia. « Hi-han ! Tu ne peux pas oublier ça.

— Hi-han ! répéta Lottie solennellement. C'est quand, que je dois le dire ?

— J'explique, j'explique », dit le taureau. C'était lui qui détenait les cartes. Il fit des moulinets avec autour de sa tête. « Silence, tout le monde ! Écoutez tous ! » Et il attendit leur bon vouloir. « Regarde voir, Lottie. » Il retourna une carte. « Elle a deux dessins dessus — tu vois ? Bon, ben si tu mets cette carte au milieu et quelqu'un d'autre en a aussi une avec deux dessins, tu dis ''hi-han'', et la carte est à toi.

---

6. **donkey** est plus mignon et plus familier que : **ass** [əes]. **To win the donkey race** : *arriver bon dernier.* **He hasn't written for donkey's year** : *il y a une éternité qu'il n'a pas écrit.*

7. Il est rare que Pip parle, simplement. Il prend la parole. Et en chef averti, mobilise l'attention au préalable.

"Mine?" Lottie was round-eyed. "To keep[1]?"

"No, silly. Just for the game, see? Just while we're playing." The bull was very cross with her.

"Oh, Lottie, you *are*[2] a little silly," said the proud rooster[3]. Lottie looked at both of them. Then she hung her head; her lip quivered. "I don't not want to play[4]," she whispered. The others glanced at one another like conspirators. All of them knew what that meant. She would go away and be discovered somewhere standing with her pinny[5] thrown over her head in a corner, or against a wall, or even behind a chair.

"Yes, you *do*[6], Lottie. It's quite easy," said Kezia.

And Isabel, repentant, said exactly like a grown-up[7], "Watch *me*[8], Lottie, and you'll soon learn."

"Cheer up, Lot," said Pip. "There, I know what I'll do. I'll give you the first one. It's mine, really, but I'll give it to you. Here you are." And he slammed the card down in front of Lottie.

Lottie revived at that. But now she was in another difficulty. "I haven't got a hanky[9]," she said; "I want one badly, too."

"Here, Lottie, you can use mine." Rags dipped into his sailor blouse and brought up a very wet-looking[10] one, knotted together.

---

1. **to keep:** m. à m. *pour conserver* (définitivement, en toute propriété).
2. *are:* l'usage de l'italique à l'intérieur d'un dialogue signale l'emphase avec laquelle on insiste sur le mot.
3. **rooster:** *coq reproducteur* (**roost,** *le poulailler;* fig. **to rule the roost:** *être le maître* ... celui qui porte les pantalons).
4. La double négation est fautive. Mais la petite Lottie en a — en toute inconscience — bien besoin, pour se faire entendre et s'affirmer.
5. **pinny:** familier, pour **pinafore.**
6. *do:* cf. note 2.
7. On se rappelle le pluriel: **grown-ups.**
8. *me:* cf. note 2.

— A moi ? » Lottie fit les yeux ronds. « Pour de vrai ?

— Non, imbécile. Seulement pour le jeu, d'accord ? Seulement pendant qu'on joue. » Le taureau était très en colère contre elle.

« Oh, Lottie, tu es vraiment une petite andouille », dit le fier coquelet.

Lottie les regarda tous les deux. Puis elle baissa la tête ; sa lèvre tremblota. « Je veux pas jouer », dit-elle dans un murmure. Les autres échangèrent des coups d'œil tels des conspirateurs. Ils savaient tous ce que cela signifiait. Elle s'en irait et on la découvrirait quelque part au piquet avec son tablier flanqué par-dessus la tête, dans un coin, contre un mur, ou même derrière une chaise.

« Mais si, tu vas jouer, Lottie. C'est très facile », dit Kezia.

Et Isabel, repentante, dit exactement comme une grande personne : « Tu n'as qu'à me regarder, Lottie, et ça viendra vite.

— Courage, Lot', ajouta Pip. Tiens, je sais ce que je vais faire. Je vais te donner la première. En vrai, c'est la mienne, mais je te la donne. Allez, tiens. » Et il flanqua la carte devant Lottie.

Voilà qui ranima Lottie. Mais aussitôt, une autre difficulté la submergea. « J'ai pas de mouchoir, dit-elle ; et j'en ai drôlement besoin, en plus.

— Tiens, Lottie, prends le mien. » Rags plongea la main dans sa marinière et produisit un mouchoir noué qui avait l'air tout mouillé.

---

9. **hanky** : familier, pour **handkerchief**. Elle y va un peu fort, la petite Lottie. Elle sait bien qu'à nouveau, elle maîtrise la situation.

10. **wet-looking** : forme très courante, cf. **sweet-smelling**, *qui sent bon ;* **ill-sounding** (une nouvelle) *de mauvais augure.*

"Be very careful," he warned her. "Only use that corner. Don't undo it. I've got a little star-fish inside I'm going to try and tame."

"Oh, come on, you girls[1]," said the bull. "And mind— you're not to look at your cards. You've got to keep your hands under the table till I say 'Go'."

Smack went the cards round the table. They tried with all their might to see, but Pip was too quick for them. It was very exciting, sitting there in the washhouse[2]; it was all they could do not to burst into a little chorus of animals before Pip had finished dealing.

"Now, Lottie, you begin."

Timidly Lottie stretched out a hand, took the top card off her pack, had a good look at it—it was plain she was counting the spots—and put it down.

"No, Lottie, you can't do that. You musn't look first. You must turn it the other way over."

"But then everybody will see it the same time[3] as me," said Lottie.

The game proceeded. Mooe-ooo-er! The bull was terrible. He charged over the table and seemed to eat the cards up.

Bss-ss! said the bee.

Cock-a-doodle-do! Isabel stood up in her excitement and moved her elbows like wings[4].

---

1. **you girls**: le taureau en a assez de toutes ces simagrées de filles. Il ne prête même pas attention à son frère, en toute logique de caractère : il l'aurait d'ailleurs traité d'idiot, sans doute, de vouloir apprivoiser une étoile de mer. Dans *L'Aloès*, au cours d'une scène cruelle où les enfants sont conviés par Pat à assister à la décapitation d'un canard, Rags est celui qui, d'un doigt timide, caresse la tête de la victime, en espérant qu'elle n'est pas tout à fait morte et qu'on pourra la faire revivre. Pip se moque de lui.
2. **washhouse**: le jeu a enfin commencé. Notation aiguë de l'auteur. On ne sait de qui elle émane ; probablement, de tout le groupe.

98

« Fais très attention, prévint-il. Sers-toi que de ce coin. Ne le défais pas. Dedans, j'ai une petite étoile de mer, je vais essayer de l'apprivoiser.

— Oh, allez, quoi, les filles, dit le taureau. Et n'oubliez pas — on a pas le droit de regarder ses cartes. Il faut laisser les mains sous la table jusqu'à ce que je dise : "Partez." »

Clac, clac, les cartes s'abattirent tout autour de la table. Les autres essayèrent de voir tant qu'ils pouvaient, mais Pip allait trop vite pour eux. Ce que c'était formidable, d'être installés là dans la buanderie ; ils eurent toutes les peines du monde à se retenir de pousser leurs petits cris d'animaux, tous en chœur, avant que Pip eût fini de distribuer.

« Bon, Lottie, à toi, tu commences. »

Lottie tendit une main timide, prit sur son tas la carte du dessus, la regarda bien (il était clair qu'elle comptait les dessins dessus) et la reposa.

« Non, Lottie, tu as pas le droit de faire ça. Il te faut pas regarder en premier. Il te faut retourner la carte à l'endroit.

— Mais alors, tout le monde la verra en même temps que moi », dit Lottie.

Le jeu continua. Meu-eu-eu ! Le taureau était terrible. Il chargeait à travers la table et avait l'air de dévorer les cartes.

Bzz...zz ! disait l'abeille.

Cocorico ! Isabel s'était mise debout dans sa surexcitation et agitait les coudes comme des ailes.

---

3. **the same time** = at the same time.

4. **wings** : la partie bat son plein. La concentration est à son comble. Les enfants "sont" taureau, abeille, coq, mouton. Toutes ces onomatopées donnent une impression d'affairement et d'accélération.

Baa! Little Rags put down the King of Diamonds and Lottie put down the one they called the King of Spain[1]. She had hardly any cards left.

"Why don't you call out, Lottie?"

"I've forgotten what I am," said the donkey woefully[2].

"Well, change! Be a dog instead! Bow-bow!"

"Oh yes. That's *much* easier." Lottie smiled again[3]. But when she and Kezia both had one Kezia waited on purpose[4]. The others made signs to Lottie and pointed. Lottie turned very red; she looked bewildered[5], and at last she said, "Hee-haw! Ke-zia[6]."

"Ss! Wait a minute!" They were in the very thick of it when the bull stopped them, holding up his hand. "What's that? What's that noise?"

"What noise? What do you mean?" asked the rooster.

"Ss! Shut up! Listen!" They were mouse-still. "I thought I heard a—a sort of knocking," said the bull.

"What was it like?" asked the sheep faintly.

No answer[7].

The bee gave a shudder. "Whatever did we shut the door for?" she said softly. Oh, why, why had they shut the door?

While they were playing, the day had faded; the gorgeous sunset had blazed and died[8].

---

1. **Spain**: probablement, pour **King of Spades** *(roi de pique)*.
2. **woefully**: littéraire. Cf.: **The knight of the woeful countenance**: *le Chevalier de la Triste Figure.*
3. On remarque un changement d'attitude chez Lottie. Elle faisait de l'obstruction préalable. Maintenant que le jeu est lancé, il faut faire comme les grands.
4. **on purpose**: toujours bien disposée à l'égard de sa petite sœur (et pour que le jeu continue).
5. **bewildered**: **wild** se prononce [waild], mais [bi'wildəd].
6. **Kezia**: elle n'y est pas du tout! Kezia, pour le moment n'est plus Kezia, mais l'abeille.

Bê...ê! Le petit Rags tira le Roi de Carreau et Lottie, la carte qu'ils appelaient le Roi d'Espagne. Il ne lui restait presque plus rien.

« Pourquoi tu ne cries pas, Lottie ?

— Je me rappelle plus ce que je suis », s'affligea l'âne, désolé.

« Eh ben, change ! Sois un chien, à la place. Oua-oua !

— Oh, oui. Ça, c'est bien plus facile. » Lottie retrouva le sourire. Mais quand elle et Kezia eurent bataille, Kezia attendit exprès. Les autres firent des signes à Lottie, le doigt pointé. Lottie devint toute rouge ; elle avait l'air perdu, et finit par dire "Hi-han ! Ke-zia."

« Chut ! Attendez une minute ! » Ils étaient en plein dans la partie quand le taureau les arrêta, levant la main. « Qu'est-ce que c'est ? Qu'est-ce que c'est, ce bruit ?

— Quel bruit ? De quoi tu parles ? demanda le coq.

— Chut ! Ferme-la. Écoutez ! » Ils s'immobilisèrent comme de vraies souris. « Il m'a semblé entendre un... des espèces de coups », dit le taureau.

« Ça ressemblait à quoi ? » demanda le mouton d'une voix détimbrée.

Pas de réponse.

L'abeille frissonna. « Mais pourquoi nous avons fermé la porte, hein ? » dit-elle sans élever la voix. Oh, pourquoi, mais pourquoi avaient-ils fermé la porte ?

Pendant qu'ils étaient dans leur jeu, le jour avait baissé ; le soleil s'était couché dans un flamboiement somptueux, vite éteint.

7. **No answer** : évidemment... Le contraire eût étonné. Pip ne répond jamais à son frère.

8. **died** : ce verbe final rend bien le sentiment de frayeur et d'abandon qui envahit les enfants.

And now the quick dark[1] came racing over the sea, over the sand-hills, up the paddock[2]. You were frightened to look in the corner of the washhouse, and yet you had to look with all your might[3]. And somewhere, far away[4], grandma[5] was lighting a lamp. The blinds were being pulled down[6]; the kitchen fire leapt in the tins on the mantelpiece.

"It would be awful now," said the bull, "if a spider[7] was to fall from the ceiling on to the table, wouldn't it?"

"Spiders don't fall from ceilings."

"Yes, they do. Our Min[8] told us she'd seen a spider as big as a saucer, with long hairs on it like a gooseberry[9]."

Quickly all the little heads were jerked up; all the little bodies drew together, pressed together.

"Why doesn't somebody come and call us?" cried the rooster[10].

Oh, those grown-ups, laughing and snug, sitting in the lamp-light, drinking out of cups! They'd forgotten about them. No, not really forgotten. That was what their smile meant. They had decided to leave them there all by themselves.

Suddenly Lottie gave such a piercing scream that all of them jumped off the forms, all of them screamed too. "A face—a face looking!" shrieked Lottie.

---

1. **quick dark** : le crépuscule est de courte durée, en Nouvelle-Zélande.

2. Effet d'accélération bien rendu.

3. **might is right** : *la raison du plus fort est toujours la meilleure.*

4. **far away** : pas si loin que ça, après tout... On était pourtant si bien, à part des adultes.

5. Cette référence à **grandma** nous ramène sans doute à Kezia. Bonne-maman qui allume une lampe : tout un symbole.

6. **pulled down** : la maison se ferme, avec nous dehors.

7. **spider** : le taureau adore se faire peur — et si possible, faire peur aux autres. Là, ça vaut le coup, de rajouter les araignées.

Et à présent, la nuit rapide venait à vive allure recouvrir la mer, les dunes, l'enclos. Ça faisait peur, de regarder dans les coins de la buanderie, et pourtant il fallait regarder de toutes ses forces. Et quelque part, loin là-bas, bonne-maman allumait une lampe. On baissait les stores. Le feu de la cuisine assaillit brusquement les boîtes en fer-blanc sur la cheminée.

« Ça serait affreux, maintenant, dit le taureau, si une araignée allait tomber du plafond sur la table, vous trouvez pas ?

— Les araignées ne tombent pas des plafonds.

— Si, ça se peut. Notre Minne nous a dit qu'elle avait vu une araignée grande comme une soucoupe, avec de longs poils dessus, comme une groseille à maquereau. »

En moins de rien, toutes les petites têtes furent promptement redressées ; tous les petits corps se rapprochèrent, se serrèrent les uns contre les autres.

« Pourquoi quelqu'un ne vient pas nous appeler ? » s'écria le coq.

Oh, ces grandes personnes, en train de rire, bien douillettes, assises à la lumière de la lampe, en train de boire dans des tasses ! Elles les avaient oubliés. Non, pas oubliés vraiment, c'est ce que signifiait leur sourire. Elles avaient décidé de les laisser là tout seuls.

Tout à coup, Lottie poussa un hurlement si perçant que tout le monde sauta des bancs et se mit à hurler aussi. « Une figure... une figure qui regarde ! » cria Lottie d'une voix stridente.

---

8. **Min :** la **lady-help** de la famille Trout. Il est de tradition que les bonnes ou les nounous racontent les histoires les plus extravagantes aux enfants qui leur sont confiés.

9. **gooseberry :** *groseille à maquereau ;* **raspberry :** *framboise ;* **strawberry :** *fraise ;* **blackberry :** *mûre ;* **blueberry :** *myrtille.*

10. **rooster :** même pris de panique, le coq reste péremptoire.

It was true, it was real. Pressed against the window was a pale face, black eyes, a black beard.

"Grandma! Mother! Somebody!"

But they had not got to the door, tumbling over one another, before it opened for Uncle Jonathan. He had come to take the little boys home[1].

X

He had meant to be there before, but in the front garden he had come upon[2] Linda walking up and down the grass, stopping to pick off a dead pink or give a top-heavy carnation[3] something to lean against, or to take a deep breath of something, and then walking on again, with her little air of remoteness. Over her white frock she wore a yellow, pink-fringed shawl from the Chinaman's shop.

"Hallo, Jonathan!" called Linda. And Jonathan whipped off his shabby panama, pressed it against his breast, dropped on one knee, and kissed Linda's hand.

"Greeting, my Fair One! Greeting, my Celestial Peach Blossom!" boomed the bass voice gently. "Where are the other noble dames[4]?"

"Beryl's out playing bridge and mother's giving the boy his bath... Have you come to borrow something[5]?"

---

1. La phrase, volontairement très simple, conclut de sa touche quotidienne la scène de panique précédente. **The little boys:** quel contraste avec l'expression employée par Jonathan à la fin de la section X en flashback : **"Those heirs to my fame and fortune..."**

2. **come upon:** *s'abattre sur :* **the news came upon us ;** ou *trouver, rencontrer par hasard.*

3. **carnation :** la différence entre **pink** et **carnation** est une différence de taille et de sophistication (à l'avantage de **carnation**). Ce ne sont pas des fleurs indigènes.

C'était vrai, la vérité vraie. Collés contre la fenêtre, il y avait une figure pâle, des yeux noirs, une barbe noire.

« Bonne-maman ! Maman ! Quelqu'un ! »

Mais ils n'étaient pas encore à la porte, dans la culbute générale, qu'elle s'ouvrit pour laisser entrer l'oncle Jonathan. Il venait chercher ses petits garçons pour rentrer à la maison.

10

Il avait eu l'intention d'être là plus tôt, mais dans le jardin de devant il était tombé sur Linda, qui faisait les cent pas sur la pelouse, s'arrêtant pour retirer un œillet mignardise mort, ou pour donner à une tête de gros œillet trop lourde un tuteur pour s'appuyer, ou pour respirer quelque parfum à pleins poumons, reprenant ensuite sa promenade avec son petit air d'être ailleurs. Sur sa robe blanche elle avait passé un châle jaune à franges roses acheté chez le Chinois.

« Ohé, Jonathan ! » lança Linda. Et Jonathan se découvrit avec empressement, serra sur sa poitrine son vieux panama cabossé, mit un genou en terre et baisa la main de Linda.

« Salut à toi, ma Reine de beauté ! Salut à toi, ma Céleste Fleur de Pêcher ! résonna doucement la voix de basse. Où sont les autres nobles dames ?

— Beryl est partie jouer au bridge et maman est en train de donner son bain au petit... Tu es venu chercher quelque chose ? »

---

4. **noble dames** : de nouveau, les bouffonneries de scène. Cf. sa façon de dire bonjour à Stanley, ce matin, qui avait exaspéré ce dernier.

5. **... something** : apparemment, ces maniérismes ne produisent pas le même effet sur Linda.

The Trouts[1] were for ever running out of things and sending across to the Burnells' at the last moment[2].

But Jonathan only answered, "A little love, a little kindness"; and he walked by his sister-in-law's[3] side.

Linda dropped into Beryl's hammock under the manuka tree and Jonathan stretched himself on the grass beside her, pulled a long stalk and began chewing it. They knew each other well. The voices of children cried from the other gardens[4]. A fisherman's light cart shook along the sandy road, and from far away they heard a dog barking; it was muffled as though the dog had its head in a sack. If you listened you could just hear the soft[5] swish of the sea at full tide sweeping the pebbles. The sun was sinking[6].

"And so you go back to the office on Monday, do you, Jonathan?" asked Linda.

"On Monday the cage door opens and clangs to upon the victim for another eleven months and a week[7]," answered Jonathan.

Linda swung a little. "It must be awful," she said slowly.

"Would ye[8] have me[9] laugh, my fair sister? Would ye have me weep?"

Linda was so accustomed to Jonathan's way of talking that she paid no attention to it.

---

1. **the Trouts**: le nom de famille prend un s au pluriel.
2. **last moment**: lorsque la famille Beauchamp avait déménagé, le père étant soucieux que ses enfants connaissent une vie campagnarde (ce séjour dura cinq ans), les Valentine Waters (Agnes, Val, Barrie et Eric) les avaient suivis (1893).
3. **sister-in-law**: in-laws désigne tous les membres de la belle-famille.
4. **other gardens**: en effet, les enfants de la maisonnée sont tous dans la buanderie.
5. **soft swish... sea... sweeping**: allitération volontaire.

En perpétuelle rupture de stock, les Trout envoyaient perpétuellement faire un saut chez les Burnell, en catastrophe.

Mais Jonathan se contenta de répondre : « Un peu d'amour, un peu d'amitié », et se mit à marcher à côté de sa belle-sœur.

Linda se laissa choir dans le hamac de Beryl sous le manuka, et Jonathan s'étendit sur l'herbe à côté d'elle, tira une longue tige qu'il commença à mâchonner. Ils se connaissaient bien, tous les deux. Les vociférations d'enfants provenaient des autres jardins. La carriole d'un pêcheur passa en cahotant sur la route sablonneuse et ils entendirent un chien aboyer, au loin ; aboiement étouffé, comme si le chien avait sa tête dans un sac. En prêtant l'oreille, on pouvait seulement saisir le soyeux susurrement de la marée haute sur les galets. Le soleil sombrait.

« Ainsi, tu retournes au bureau lundi, c'est bien ça, Jonathan ? demanda Linda.

— Lundi, la porte de la cage s'ouvre et se referme avec un bruit de chaînes sur la victime pour une nouvelle durée de onze mois et une semaine », répondit Jonathan.

Linda se balança légèrement. « Ce doit être affreux, dit-elle lentement.

— Voudriez-vous me voir rire, ma douce sœur ? Voudriez-vous me voir pleurer ? »

Linda était si habituée à la façon de parler de Jonathan qu'elle n'en fit aucun cas.

---

6. **sinking** : le même phénomène naturel (le crépuscule) est ressenti différemment par les deux groupes. La frayeur des enfants contre... l'euphorie du "couple".

7. **eleven months and a week** : M. l'employé des PTT à Wellington (oncle Val) avait à l'époque trois semaines de vacances.

8. **ye** : archaïsme poétique pour **you**.

9. **to have** + inf. : *faire faire, provoquer une action.*

"I suppose," she said vaguely, "one gets used to it. One gets used to anything."

"Does one? Hum!" The "Hum" was so deep it seemed to boom from underneath the ground. "I wonder how it's done," brooded Jonathan; "I've never managed it."

Looking at him as he lay there, Linda thought again how attractive he was. It was strange to think that he was only an ordinary clerk, that Stanley earned twice as much money as he. What was the matter with Jonathan? He had no ambition; she supposed that was it. And yet one felt he was gifted, exceptional[1]. He was passionately fond of music; every spare penny he had went on books. He was always full of new ideas, schemes, plans. But nothing came of it all. The new fire blazed in Jonathan; you almost heard it roaring softly as he explained, described and dilated on the new thing; but a moment later it had fallen in and there was nothing but ashes, and Jonathan went about with a look like hunger in his black eyes. At these times he exaggerated his absurd manner of speaking, and he sang in church[2]—he was the leader of the choir—with such fearful dramatic intensity that the meanest hymn put on an unholy splendour.

"It seems to me just as imbecile[3], just as infernal, to have to go to the office on Monday," said Jonathan, "as it always has done and always will do.

---

1. **exceptional:** K.M. eut beaucoup d'affection pour son oncle — affectueux, artiste, original. Mais, ce paragraphe le prouve, elle était lucide sur sa personnalité. Entre le beau-frère et la belle-sœur vient se greffer un très léger flirt (une des raisons inconscientes de l'agacement de Stanley devant ce Jonathan?).

2. **church:** Oncle Val tenait l'orgue à l'église et chantait airs d'opéra et oratorios en ville, où il était fort apprécié. K.M. était sensible au chant, au point d'épouser — dans quelles conditions! — un ténor professionnel, George Bowden.

« Je suppose, dit-elle mollement, qu'on s'y habitue. On s'habitue à n'importe quoi.

— Vraiment ? Hum ! » Le ''hum'' avait une sonorité si profonde qu'il paraissait surgir des entrailles de la terre. « Je me demande comment ça se fait, rumina Jonathan ; moi, je n'y suis jamais parvenu. »

En le regardant allongé là, Linda se dit une fois de plus qu'il était follement séduisant. Bizarre, de penser qu'il n'était qu'un banal employé, que Stanley gagnait deux fois plus d'argent que lui. Qu'est-ce qui n'allait pas chez Jonathan ? Il était sans ambition ; ça devait être ça, songea-t-elle. Et cependant, on le sentait plein de dons, exceptionnel. Il adorait la musique ; chaque sou qu'il pouvait mettre de côté passait dans les livres. Il débordait toujours d'idées nouvelles, de projets, de plans. Mais de tout cela, il ne sortait jamais rien. Le feu nouveau flambait en Jonathan ; on l'entendait quasiment ronfler doucement en lui, tandis qu'il expliquait, décrivait, intarissable sur la chose nouvelle ; mais l'instant d'après, la flamme avait expiré, il ne restait plus que des cendres et Jonathan rôdait avec dans ses yeux noirs un regard d'affamé. A ces moments-là, il forçait la note dans son absurde façon de s'exprimer, et à l'église (où il conduisait le chœur) l'intensité dramatique qu'il mettait à chanter était si formidable que le plus piètre cantique se parait d'une splendeur profane.

« Ce retour forcé au bureau lundi me paraît idiot et infernal, dit Jonathan, au même titre que les précédents, ni plus ni moins que les suivants.

---

3. **imbecile** : ['imbisi:l] ou [-sail].

To spend all the best years of one's life sitting on a stool from nine to five, scratching in somebody's ledger[1]! It's a queer use to make of one's... one and only life, isn't it? Or do I fondly dream?" He rolled over on the grass and looked up at Linda. "Tell me, what is the difference between my life and that of an ordinary prisoner. The only difference I can see is that I put myself in jail and nobody's ever going to let me out. That's a more intolerable situation than the other. For if I'd been—pushed in, against my will—kicking, even—once the door was locked, or at any rate in five years or so, I might[2] have accepted the fact and begun to take an interest in the flight of flies or counting[3] the warder's[4] steps along the passage with particular attention to variations of tread[5] and so on. But as it is, I'm like an insect that's[6] flown into a room of its own accord[7]. I dash against the walls, dash against the windows, flop against the ceiling, do everything on God's earth[8], in fact, except fly out again. And all the while I'm thinking, like that moth, or that butterfly, or whatever it is, "The shortness of life! The shortness of life!" I've only one night or one day, and there's this vast dangerous garden, waiting out there, undiscovered, unexplored[9]."

"But, if you feel like that, why—" began Linda quickly.

---

1. **ledger**: dans le vocabulaire de la comptabilité, c'est *un grand livre* (de frais, d'achats, de ventes...)
2. **might**: plus hypothétique que **could**; cf. **may be** syn. de **perhaps**.
3. cf. note 6 p. 56.
4. **warder (dress)**, on l'a vu, est un terme spécifique: *gardien de prison*. Ne pas confondre avec **warden** (le directeur de la prison).
5. **tread** ['tred]: *poser le pied* ou *fouler au pied*.
6. **that's**: contraction de **that is**; **that's it**: *c'est ça*.
7. **he came of his own accord**: *il est venu de lui-même*.
8. **why on earth?**: *pourquoi diable?* **Nowhere on (God's) earth**: *nulle part sur terre*.

Passer les meilleures années de sa vie sur un tabouret, de neuf à cinq, à griffonner sur le grand livre d'un type ! C'est là faire un drôle d'usage de sa...seule et unique vie, n'est-ce pas ? Ou bien me voilà en train de rêver naïvement ?» Il se retourna sur l'herbe et leva les yeux vers Linda. «Dis-moi, quelle différence y a-t-il entre ma vie et celle d'un prisonnier ordinaire? La seule que je puisse voir est que je me suis mis en prison moi-même et que personne ne viendra jamais m'en tirer. Situation plus intolérable que l'autre. En effet, si j'avais été...mis au trou à mon corps défendant...en ruant dans les brancards, même...une fois la porte verrouillée, ou en tout cas au bout de quatre ou cinq ans, j'aurais pu m'y faire et commencer à m'intéresser au vol des mouches ou à compter les pas du surveillant le long du couloir, avec observation minutieuse des changements de démarche et ainsi de suite. Mais en l'occurrence, je ressemble à un insecte qui est venu de son propre gré voler dans une chambre. Je me jette contre les murs, me jette contre les vitres, m'assomme contre le plafond, je fais tout et le reste, en fait, sauf diriger mon vol vers le dehors. Et tout le temps, comme cette phalène, ce papillon, ou que sais-je, cette pensée m'obsède : ''La brièveté de la vie ! La brièveté de la vie !'' Je n'ai qu'une nuit, ou qu'un jour et là, dehors, il y a ce vaste jardin plein de périls, qui attend, inconnu, inexploré.

— Mais si tu éprouves ce sentiment, pourquoi... » commença Linda vivement.

---

9. **unexplored** : Jonathan se gargarise de mots, le silence de Linda l'y invite. On sent chez lui une certaine complaisance, une approche "littéraire" de sa condition.

"Ah!" cried Jonathan. And that "Ah!" was somehow almost exultant[1]. "There you have me. Why? Why indeed? There's the maddening, mysterious question[2]. Why don't I fly out again? There's the window or the door or whatever it was[3] I came in by. It's not hopelessly shut—is it? Why don't I find it and be off? Answer me that, little sister." But he gave her no time to answer.

"I'm exactly like that insect again. For some reason"— Jonathan paused between the words—"it's not allowed, it's forbidden, it's against the insect law, to stop banging and flopping and crawling up the pane even for an instant[4]. Why don't I leave the office? Why don't I seriously consider, this moment, for instance, what it is that prevents me leaving? It's not as though I'm tremendously tied. I've two boys to provide for, but, after all, they're boys. I could cut off to sea[5], or get a job up-country[6], or—" Suddenly he smiled at Linda and said in a changed voice, as if he were confiding a secret, "Weak... weak[7]. No stamina. No anchor. No guiding principle, let us call it." But then the dark velvety voice rolled out:

> Would ye hear the story
> How it unfolds itself...

and they were silent.

---

1. **exultant** : oui, l'analyse de sa "galère" devant sa belle-sœur ne va pas sans un certain plaisir.
2. **question** : il n'est pas fâché de son allure "hamletienne" au petit pied.
3. Déjà dans la première partie de son soliloque : **"the moth, the butterfly, or whatever it is..."** Verbeux, Trout !
4. **instant** : on n'est pas loin du "... **tale full of sound and fury, signifying nothing**".
5. **to sea** : il n'est pas sérieux ; il n'évoque que des solutions romantiques.

— *Ah!* » s'exclama Jonathan. Et dans ce "Ah !" se glissait une note de triomphe. « Là, tu me tiens. Pourquoi ? Eh oui, pourquoi ? Voilà l'affolante, la mystérieuse question. Pourquoi mes ailes ne me ramènent-elles pas dehors ? Voilà la fenêtre, la porte, bref, l'ouverture, par laquelle je suis entré. Elle n'est pas irrémédiablement fermée... si ? Pourquoi ne puis-je la trouver et filer ? Réponds-moi là-dessus, petite sœur. » Mais il ne lui laissa pas le temps de répondre.

« Je suis, là encore, exactement semblable à cet insecte. Pour une raison ou une autre (Jonathan marqua un temps d'arrêt entre les mots), il n'est pas autorisé, il est interdit, il est contraire à la loi des insectes, de cesser, même un instant, de se heurter, de s'assommer, de se hisser le long de la vitre. Pourquoi est-ce que je ne quitte pas le bureau ? Pourquoi est-ce que je rechigne à un examen sérieux, en ce moment par exemple, de ce qui me retient de le quitter ? Encore, si j'étais formidablement assujetti. J'ai deux garçons à élever, mais après tout, ce sont des garçons. Je pourrais couper les ponts, partir en mer, ou trouver du travail à l'intérieur du pays, ou... » Tout à coup, il adressa un sourire à Linda et dit d'une voix changée, comme s'il confiait un secret : « Faible...faible. Pas de nerf. Pas de point d'attache. Pas de principe directeur, mettons. » Mais aussitôt la voix de velours roula ses noires sonorités :

> *Aimeriez-vous entendre le récit,*
> *Comment il se déroule...*

et ils demeurèrent silencieux.

---

6. **up-country** : c'est un australianisme.
7. **weak** : Jonathan est fin. Il a bien deviné les pensées de Linda. Il souffrira moins de les formuler lui-même (comme un certain Cyrano), réduisant Linda au silence.

The sun had set. In the western sky there were great masses of crushed-up rose-coloured clouds[1]. Broad beams of light[2] shone through the clouds and beyond them as if they would cover the whole sky.   Overhead the blue faded; it turned a pale gold, and the bush outlined against it gleamed dark and brilliant like metal. Sometimes when those beams of light show in the sky they are very awful. They remind you that up there sits Jehovah[3], the jealous God, the Almighty, Whose eye is upon you, ever watchful, never weary. You remember that at His coming the whole earth will shake into one ruined grave yard[4]; the cold, bright angels will drive you this way and that, and there will be no time to explain what could be explained so simply... But to-night it seemed to Linda there was something infinitely joyful and loving[5] in those silver beams. And now no sound came from the sea. It breathed softly as if it would draw that tender, joyful beauty into its own bosom.

"It's all wrong, it's all wrong," came the shadowy voice of Jonathan. "It's not the scene, it's not the setting[6] for... three stools, three desks, three inkpots and a wire blind."

Linda knew that he would never change, but she said, "Is it too late, even now?"

"I'm old—I'm old," intoned Jonathan. He bent towards her, he passed his hand over his head.

---

1. **rose-coloured clouds**: spectacle magnifique, typique des cieux tropicaux.

2. **beams of light**: des *gloires*.

3. **Jehovah**: [Dʒi'houvə].

4. **grave yard**: pas très convaincante, l'évocation du Jugement dernier. K.M. y met un humour perceptible.

5. **loving**: la longue confidence de Jonathan, pour mélancolique qu'elle soit, n'affecte guère Linda. Elle goûte l'intimité de la scène et la douceur du soir. Égoïste? Nous savons qu'elle l'est. Sensuelle aussi. Peut-être aussi le souvenir de cette émotion nouvelle qu'elle a éprouvée en face du **boy** n'est-il pas effacé en elle.

Le soleil s'était couché. Dans le ciel occidental, s'étaient entassées de grandes masses de nuages roses. De larges traits de lumière rayonnaient à travers les nuages et au-delà, comme s'ils voulaient couvrir le ciel tout entier. Là-haut, le bleu perdait son éclat ; il virait à l'or pâle et la brousse, découpée sur ce fond, brillait d'un éclat sombre et métallique. Parfois, lorsque ces gloires apparaissent dans le ciel, elles sont très impressionnantes. Elles vous rappellent que là-haut siège Jéhovah, le Dieu jaloux, le Tout-Puissant, dont l'œil est toujours sur vous, toujours vigilant, jamais las. Il vous souvient qu'à Son avènement la terre entière tremblera jusqu'à n'être plus qu'un cimetière en ruine ; les anges froids et lumineux vous chasseront en tous sens, et il n'y aura pas de temps pour expliquer ce qui pourrait l'être si simplement... Mais ce soir, Linda trouvait dans ces rayons d'argent quelque chose d'infiniment joyeux et tendre. A présent, aucun bruit ne montait de la mer. Elle respirait doucement, comme désireuse d'attirer dans son sein cette beauté baignée de joie et de tendresse.

« Ça cloche complètement, complètement, intervint la voix ténébreuse de Jonathan. Ce n'est pas le décor, ce n'est pas le cadre pour...trois tabourets, trois pupitres, trois encriers et un store métallique. »

Linda savait bien qu'il ne changerait jamais ; elle dit malgré tout : « Est-il trop tard, même à présent ?

— Je suis vieux... je suis vieux », psalmodia Jonathan. Il se pencha vers elle, et se passa la main sur la tête.

---

6. **the setting** : Jonathan, également sensible à la tendresse du soir, poursuit cependant son introspection.

"Look!" His black hair was speckled all over with silver, like the breast plumage of a black fowl.

Linda was surprised. She had no idea that he was grey. And yet, as he stood up beside her and sighed and stretched, she saw him, for the first time, not resolute, not gallant[1], not careless, but touched already with age. He looked very tall on the darkening grass, and the thought crossed her mind, "He is like a weed[2]."

Jonathan stooped again and kissed her fingers.

"Heaven reward thy sweet patience, lady mine," he murmured. "I must go[3] seek those heirs to my fame and fortune[4]..." He was gone.

XI

Light shone in the windows[5] of the bungalow. Two square patches of gold fell upon the pinks and the peaked[6] marigolds. Florrie, the cat, came out on to the veranda and sat on the top step, her white paws close together, her tail curled round. She looked content, as though she had been waiting for this moment all day.

"Thank goodness, it's getting late," said Florrie. "Thank goodness, the long day is over[7]." Her greengage eyes opened.

---

1. **gallant**: ['gaelənt]. Deux l en anglais ≠ [gae'lənt] (= *galant*).
2. L'image, fragile, est assez touchante. Elle ne s'accompagne d'aucun jugement moral. C'est une constatation intuitive, porteuse peut-être d'une légère pitié. Stanley, lui, est tout sauf : a weed...
3. La suppression de : and entre les deux verbes est archaïque (ou familière, plus rarement).
4. **fortune**: par ce retour au langage affecté et ampoulé, Jonathan dissimule son trouble devant le silence de Linda.

« Regarde ! » Ses cheveux noirs étaient tout mouchetés d'argent, comme le plumage pectoral d'un coq noir.

Linda fut surprise. L'idée ne l'avait pas effleurée qu'il grisonnât. Et pourtant, lorsqu'il se mit debout auprès d'elle, soupira, s'étira, elle le vit pour la première fois, non pas résolu, non pas valeureux, non pas insouciant, mais déjà touché par l'âge. Il paraissait très grand sur l'herbe qui s'assombrissait, et cette pensée lui traversa l'esprit, "Il est comme une herbe folle."

Jonathan se pencha de nouveau et lui baisa les doigts.

« Le Ciel récompense ta douce patience, ma belle princesse, murmura-t-il. Me faut aller quérir ces chers héritiers de ma renommée et de ma fortune... » Il avait disparu.

11

De la lumière brillait aux fenêtres du bungalow. Deux carrés d'or tombaient sur les œillets et les soucis refermés en pointe. La chatte Florrie sortit sur la véranda et vint s'asseoir sur la plus haute marche, les pattes blanches bien serrées, ourlées de sa queue disposée en rond. Elle paraissait satisfaite, comme si elle avait attendu ce moment tout le jour.

« Dieu merci, il se fait tard, dit Florrie. Dieu merci, la longue journée est finie. » Ses yeux reine-claude s'ouvrirent.

---

5. **windows** : la lumière artificielle a remplacé celle du soleil, couché. La nuit est là.

6. **peaked beard** : *barbe en pointe.* **Peaked features** : *traits tirés.*

7. **... is over** : on aura, symboliquement, vu le chat à l'aube et au couchant de cette journée ordinaire.

Presently there sounded the rumble of the coach, the crack of Kelly's whip. It came near enough for one to hear the voices of the men from town, talking loudly together. It stopped at the Burnells' gate.

Stanley was half-way up the path before he saw Linda. "Is that you, darling[1]?"

"Yes, Stanley."

He leapt across the flower-bed and seized her in his arms. She was enfolded in that familiar, eager, strong embrace.

"Forgive me, darling, forgive me," stammered Stanley, and he put his hand under her chin and lifted her face to him.

"Forgive you?" smiled Linda[2]. "But whatever for?"

"Good God! You can't have forgotten," cried Stanley Burnell. "I've thought of nothing else all day. I've had the hell of a day. I made up my mind to dash out and telegraph, and then I thought the wire mightn't reach you before I did. I've been in tortures[3], Linda."

"But, Stanley," said Linda, "what must I forgive you for?"

"Linda!"—Stanley was very hurt—"didn't you realise—you must have realised[4]—I went away without saying good-bye to you this morning? I can't imagine how I can have done such a thing. My confounded temper[5], of course.

---

1. **Is that you...** Dans *L'Aloès,* K.M. nous fait part de l'inquiétude diffuse de Stanley tant qu'il n'a pas entendu, dans le soir, la voix de Linda.

2. **Linda** — elle l'a dit dans *L'Aloès* et dans *"Prélude"* — sait manier (manipuler?) son Stanley, qu'elle connaît si bien, et qu'elle aime.

3. **tortures**: pour la dramatisation, Stanley ne craint personne. Nous revoilà plongés dans les flammes (**hell; tortures**).

4. **realised**: ça y est, le revoilà en terrain connu. Il a trouvé un grief, un reproche à faire: Linda a oublié! **To realize.**

Aussitôt retentit le roulement de la diligence, le claquement du fouet de Kelly. Elle fut bientôt assez près pour qu'on
entendît les voix des hommes qui, de retour de la ville,
causaient ensemble bruyamment. Elle s'arrêta devant le
portail des Burnell.

Stanley était déjà à mi-parcours de l'allée quand il aperçut
Linda. « C'est toi, chérie ?

— Oui, Stanley. »

D'un bond, il enjamba la plate-bande et saisit Linda dans
ses bras. Elle fut enveloppée de cette étreinte vigoureuse,
ardente, familière.

« Pardonne-moi, ma chérie, pardonne-moi », balbutia
Stanley, et lui passant une main sous le menton, il éleva vers
lui son visage.

« Te pardonner ? dit-elle dans un sourire. Mais de quoi
donc ?

— Grand Dieu ! Pas possible, tu n'as pas oublié ! s'écria
Stanley Burnell. Je n'ai pensé à rien d'autre, de tout le jour.
J'ai passé une journée du diable. J'avais pris mon parti de
foncer à la poste t'envoyer un télégramme et puis je me suis
dit qu'il risquait de ne pas arriver avant moi. J'ai été au
supplice, Linda.

— Mais, Stanley, dit Linda, qu'est-ce que j'ai à te
pardonner ?

— Linda ! (Stanley était très mortifié.) Ne t'es-tu pas
aperçue...tu t'es sûrement aperçue...que je suis parti sans te
dire au revoir, ce matin ? J'ai du mal à me figurer comment
j'ai pu faire une chose pareille. Mon fichu caractère,
évidemment.

---

5. **confounded temper** : un peu d'autocritique parce que c'est un brave
type ; et puis, ça lui donne les mains libres pour faire valoir ses
griefs...

But—well"—and he sighed and took her in his arms again—"I've suffered for it enough to-day."

"What's that you've got in your hand?" asked Linda. "New gloves? Let me see[1]."

"Oh, just a cheap pair of wash-leather ones," said Stanley humbly[2]. "I noticed Bell was wearing some in the coach this morning, so, as I was passing the shop, I dashed[3] in and got myself a pair. What are you smiling at[4]? You don't think it was wrong of me, do you?"

"On the *con*-trary, darling," said Linda, "I think it was most sensible[5]."

She pulled one of the large, pale gloves on her own fingers and looked at her hand, turning it this way and that. She was still smiling[6].

Stanley wanted to say, "I was thinking of you the whole time I bought them." It was true, but for some reason he couldn't say it. "Let's go in," said he.

XII

Why does one feel so different at night? Why is it so exciting to be awake when everybody else is asleep? Late—it is very late! And yet every moment you feel more and more wakeful, as though you were slowly, almost with every breath, waking up into a new, wonderful, far more thrilling and exciting world than the daylight one.

---

1. **Let me see** : Oh, la petite hypocrite ! Elle va tout désamorcer. Et qui plus est, triompher — en douceur — de son gros terre-neuve.

2. **humbly** : il est déjà battu.

3. **dashed** : il n'a même pas perdu de temps pour les acheter, ces gants de pacotille.

4. **smiling** : ces sourires de femme (Beryl, Linda), c'est toujours délicat à apprécier...

Mais...enfin... (il soupira et la reprit dans ses bras), j'en ai assez bavé aujourd'hui.

— Tiens, qu'est-ce que je vois dans ta main? demanda Linda. Des gants neufs? Voyons.

— Oh, rien qu'une paire bon marché en peau de chamois, dit Stanley humblement. J'avais remarqué que Bell en portait, dans la diligence, ce matin, alors, en passant devant la boutique, je suis entré en coup de vent, et je m'en suis acheté une paire. Quelque chose te fait sourire? Tu ne penses pas que j'ai eu tort, au moins?

— Bien au contraire, je t'assure, chéri, dit Linda. Je pense que c'était on ne peut plus judicieux. »

Elle glissa les doigts dans un des vastes gants de couleur claire, et regarda sa main en la tournant de côté et d'autre. Elle souriait toujours.

Stanley eut envie de dire: « Je pensais à toi pendant tout le temps de l'achat. » C'était la vérité, mais pour une raison ou une autre, il fut incapable de la dire. « Rentrons », dit-il.

12

Pourquoi se sent-on si différent, la nuit? Pourquoi est-ce si palpitant d'être éveillé quand tous les autres dorment? Il est tard... très tard! Et cependant, à chaque instant vous vous sentez de plus en plus éveillé, comme si lentement, presque à chaque respiration, vous pénétriez plus avant dans un monde nouveau, extraordinaire, bien plus passionnant, bien plus saisissant que le monde de la lumière du jour.

---

5. **sensible** : *judicieux, sage* ; **sensitive** : *sensible*.

6. **smiling** : elle ne dit plus rien. Son triomphe est modeste. Stanley est tout empêtré dans ses sentiments mêlés. Il propose d'agir.

And what is this queer sensation that you're a conspirator? Lightly, stealthily you move about your room. You take something off the dressing-table and put it down again without a sound. And everything, even the bedpost, knows you, responds, shares your secret[1]...

You're not very fond of your room by day. You never think about it. You're in and out, the door opens and slams, the cupboard[2] creaks. You sit down on the side of your bed, change your shoes and dash out again. A dive down to the glass, two pins in your hair, powder your nose and off again[3]. But now—it's suddenly dear to you. It's a darling little funny room. It's yours. Oh, what a joy it is to own things! Mine—my own!

"My very own for ever?"

"Yes." Their lips met.

No, of course, that had nothing to do with it. That was all nonsense and rubbish. But, in spite of herself, Beryl saw so plainly two people standing in the middle of her room. Her arms were round his neck; he held her. And now he whispered, "My beauty, my little beauty!" She jumped off her bed, ran over to the window[4] and kneeled on the window-seat, with her elbows on the sill. But the beautiful night, the garden, every bush, every leaf, even the white palings, even the stars, were conspirators too.

---

1. **secret**: étrange scène, où il est quasiment impossible de démêler le rêvé du vécu. Le discours intérieur de Beryl est rendu avec maestria du début à la fin. Il a par moments tant de force qu'il nous fait douter de la frontière entre rêve et réalité. Voici un rêve éveillé, porté et nourri par la canicule, par la rencontre avec Mrs. Kember, par la frustration, plusieurs fois notée, de Beryl. C'est une grande réussite artistique et psychologique.

2. **cupboard**: [ˈkʌbəd].

3. **off again**: bel effet de rapide succession. Très visuel.

Et quelle est cette curieuse sensation d'être un conspirateur ?
A pas légers, furtifs, vous allez et venez dans votre chambre.
Vous prenez un objet sur la coiffeuse et vous le reposez sans
un bruit. Et, colonnes du lit comprises, tout vous connaît,
réagit, partage votre secret...

De jour, vous n'avez pas beaucoup d'attachement pour
votre chambre. Vous n'y pensez jamais. Vous entrez, vous
sortez, la porte s'ouvre et claque, l'armoire grince. Vous vous
asseyez sur le côté de votre lit, vous changez de chaussures
et vous ressortez en coup de vent. Un plongeon en direction
du miroir, deux épingles dans vos cheveux, un rien de poudre
sur le nez et vous voilà repartie. Mais à cette heure...elle vous
est soudain chère. C'est une drôle de petite chambre
adorable. C'est la vôtre. Oh, quelle joie dans la possession des
choses ! Miennes... à moi !

« A moi toute seule pour toujours ?
— Oui. » Leurs lèvres s'unirent.

Non, bien sûr, cela n'avait aucun rapport. Sornettes et
balivernes, que tout cela. Mais Beryl avait beau faire, une
vision si nette d'un couple debout au milieu de sa chambre
s'imposait à elle. Elle lui avait passé les bras autour du cou ;
lui, la tenait serrée. Et maintenant, il lui chuchotait à
l'oreille : « Ma toute belle, ma petite beauté ! » Elle bondit de
son lit, courut à la fenêtre, s'agenouilla sur la banquette, les
coudes appuyés sur le rebord. Mais la nuit somptueuse, le
jardin, chaque buisson, chaque feuille, même les palissades
blanches, même les étoiles étaient aussi autant de conspirateurs.

---

4. **window** : les deux amants s'offrent d'abord à sa vue, avec une telle
force qu'elle est contrainte d'aller voir à la fenêtre.

So bright was the moon that the flowers were bright as by day; the shadow of the nasturtiums, exquisite lily-like[1] leaves and wide-open flowers, lay across the silvery veranda[2]. The manuka[3] tree, bent by the southerly winds, was like a bird on one leg stretching out a wing.

But when Beryl looked at the bush, it seemed to her the bush was sad.

"We are dumb trees, reaching up in the night, imploring we know not what," said the sorrowful bush[4].

It is true when you are by yourself and you think about life, it is always sad. All that excitement and so on has a way of suddenly leaving you, and it's as though, in the silence, somebody called your name, and you heard your name for the first time. "Beryl!"

"Yes, I'm here. I'm Beryl. Who wants me?"

"Beryl!"

"Let me come."

It is lonely living by oneself. Of course, there are relations[5], friends, heaps[6] of them; but that's not what she[7] means. She wants someone who will find the Beryl they none of them know, who will expect her to be that Beryl always. She wants a lover.

"Take me away from all these other people, my love. Let us go far away.

---

1. **lily-pad**: *feuille de nénuphar.*
2. **veranda**: le jardin, si familier, est complice.
3. **manuka**: que de rêves, sous ce datura !
4. **bush**: *la brousse* — le monde extérieur — n'est pas à l'unisson.
5. **relation** est en partie un faux ami: *parent; **close relation**: *proche parent;* **he has relations in Cairo**: *il a de la famille au Caire; une de mes relations*: **an acquaintance of mine, s.o. I know.**

Si resplendissante était la lune que les fleurs brillaient comme en plein jour; l'ombre des capucines, feuilles exquises blanches comme le lis, fleurs épanouies, s'allongeait sur la véranda argentée. Le manuka, courbé par les vents du Sud, avait l'air d'un oiseau campé sur une patte et qui déploie une aile.

Mais lorsque Beryl porta ses regards sur la brousse, il lui parut que la brousse était triste.

« Nous sommes les arbres sans voix, élevant nos bras dans la nuit, implorant nous ne savons quoi », disait la brousse désolée.

Il est vrai que lorsqu'on est seul et qu'on pense à la vie, la tristesse vous submerge toujours. Toute cette exaltation et son cortège a une façon de vous abandonner brusquement; on dirait alors qu'une voix lance votre nom dans le silence et que ce nom, vous l'entendez pour la première fois. ''Beryl!''

« Oui, je suis là. C'est moi Beryl. Qui me demande?

« Beryl! »

« Laisse-moi venir. »

On a un sentiment d'abandon, à vivre seul. Certes, il y a la famille, les amis, une ribambelle; mais elle a autre chose en tête. Il lui faut quelqu'un qui saura découvrir la Beryl que nul d'entre eux ne connaît, pour qui il ne saurait jamais y avoir d'autre Beryl. Il lui faut un amoureux.

« Emmène-moi loin de tous ces gens, mon amour. Partons au loin.

_____

6. **heaps**: familier.

7. **she**: une subtile substitution s'opère. L'aimée anonyme cède la place à Beryl; le **you** au **she**.

Let us live our life, all new, all ours, from the very beginning. Let us make our fire. Let us sit down to eat together. Let us have long talks at night[1]."

And the thought was almost, "Save me, my love. Save me[2]!"

..."Oh, go on! Don't be a prude, my dear. You[3] enjoy yourself while you're young. That's my advice[4]." And a high rush of silly laughter joined Mrs. Harry Kember's loud, indifferent neigh.

You see, it's so frightfully difficult when you've nobody. You're so at the mercy of things. You can't just be rude. And you've always this horror of seeming inexperienced and stuffy[5] like the other ninnies[6] at the Bay. And—and it's fascinating to know you've power over people. Yes, that is fascinating...

Oh why, oh why doesn't "he" come soon?

If I go on living here, thought Beryl, anything may happen to me.

"But how do you know he is coming at all?" mocked a small voice within her.

But Beryl dismissed it. She couldn't be left. Other people, perhaps, but not she[7]. It wasn't possible to think that Beryl Fairfield never married, that lovely, fascinating girl.

"Do you remember[8] Beryl Fairfield?"

---

1. **at night**: à l'évocation romantique va succéder une scène réaliste et "osée", qui illustre parfaitement l'attirance et la répulsion de la jeune fille pour l'amour, inconnu.

2. **Save me**: l'expression du désarroi.

3. **You** renforce l'impératif.

4. **advice**: dans le souvenir de Beryl, le discours de Mrs. Kember sur la plage a pris de la vulgarité et de l'épaisseur grossière.

5. **stuffy**: langage familier.

6. **ninny**: un terme employé par Mrs. Kember. L'entrevue de ce matin a fortement impressionné Beryl.

126

Vivons notre vie, toute neuve, tout à nous, dès l'aube de son commencement. Bâtissons notre feu. Asseyons-nous pour manger ensemble. Ayons de longues conversations le soir. »

Et sa pensée n'était pas loin de : « Sauve-moi, mon amour. Sauve-moi ! »

... « Oh, allons ! Ne faites pas la prude, ma chère. Un bon conseil, amusez-vous donc pendant que vous êtes jeune, croyez-moi. » Et, irrépressible, un trille aigu de rire stupide vint se joindre au hennissement bruyant, pétri d'indifférence, de Mrs. Harry Kember.

Voyez-vous, c'est si terriblement difficile quand vous n'avez personne. Vous êtes tellement à la merci des choses. Vous ne pouvez pas être simplement impolie. Et vous êtes toujours en proie à l'horreur de passer pour une oie blanche collet monté comme toutes ces gourdes à la Baie. Et puis, et puis, c'est irrésistible de savoir qu'on détient un pouvoir sur les gens. Oui, c'est irrésistible...

Oh pourquoi, mais pourquoi ne vient-"il" pas bientôt ?

Si je continue à vivre ici, songea Beryl, il peut m'arriver n'importe quoi.

« Mais après tout, sais-tu seulement s'il vient ? » railla une petite voix intérieure.

Mais Beryl l'éconduit. Il était impossible qu'elle fût laissée pour compte. D'autres, peut-être ; mais elle, non. Il était impensable que Beryl Fairfield ne se fût jamais mariée, cette séduisante et adorable jeune fille.

« Vous vous souvenez de Beryl Fairfield ?

---

7. **not she :** une grande liberté préside à cette scène. Tous les méandres de cette petite crise intérieure sont exposés avec art et courage. On comprend la jalousie de Virginia Woolf à l'égard de K.M.

8. **remember :** grand "flash-ahead".

"Remember her! As if I could forget her! It was one summer at the Bay that I saw her. She was standing on the beach in a blue"—no, pink—"muslin frock, holding on a big cream"—no, black—"straw hat[1]. But it's years ago now."

"She's as lovely as ever, more so[2] if anything[3]."

Beryl smiled, bit her lip, and gazed over the garden. As she gazed, she saw somebody, a man, leave the road, step along the paddock beside their palings as if he was coming straight towards her. Her heart beat. Who was it? Who could it be? It couldn't be a burglar, certainly not a burglar, for he was smoking and he strolled lightly. Beryl's heart leapt[4]; it seemed to turn right over and then to stop. She recognised him[5].

"Good evening, Miss Beryl," said the voice softly.

"Good evening."

"Won't you come for a little walk?" it drawled.

Come for a walk—at that time of night! "I couldn't. Everybody's in bed. Everybody's asleep."

"Oh," said the voice lightly, and a whiff of sweet smoke[6] reached her. "What does everybody matter? Do[7] come! It's such a fine night. There's not a soul about."

Beryl shook her head. But already something[8] stirred in her, something reared its head[9].

---

1. **straw hat** : l'humour ne perd pas ses droits.

2. **more so** : c.-à-d. **more lovely**.

3. **if anything** : mot à mot *si quoi que ce soit* (sous-entendu "d'autre").

4. **leapt** : l'instant fatal la trouve extrêmement troublée (**her heart beat ; her heart leapt**), mais prête.

5. **recognised** : **to recognize**. Ce **him**, le lecteur ne le connaîtra qu'à la fin de la scène.

6. de l'*Amsterdamer*, c'est à parier !

7. **do** : auxiliaire d'insistance.

— Si je m'en souviens ! Elle est inoubliable, voyons ! C'est au cours d'un été, à la Baie, que je l'ai vue. Elle était debout sur la plage en robe de mousseline bleue...non, rose... retenant fermement un grand chapeau de paille crème...non, noir... Mais ça fait des années de ça, maintenant.

— Elle est toujours aussi ravissante, plutôt davantage, même. »

Beryl sourit, se mordit la lèvre et son regard s'envola par-dessus le jardin. C'est alors qu'elle vit quelqu'un, un homme, quitter la route, longer l'enclos qui bordait leur palissade comme s'il venait droit vers elle. Son cœur battit. Qui était-ce ? Qui cela pouvait-il bien être ? Pas un cambrioleur, certainement pas un cambrioleur, car il était en train de fumer, tout en déambulant d'un pas léger. Le cœur de Beryl bondit ; à croire qu'il partait à la renverse, puis cessait de battre. Elle avait reconnu l'homme.

« Bonsoir, mademoiselle Beryl, fit la voix doucement.

— Bonsoir.

— Ça ne vous dit rien, une petite promenade ? » reprit la voix d'un ton traînant.

Une promenade... à cette heure-ci de la nuit ! « Impossible. Tout le monde est au lit. Tout le monde dort.

— Oh ! », flûta la voix, et une bouffée de délicieuse fumée parvint jusqu'à elle. « Qu'importe tout le monde ? Ah, venez ! La nuit est si belle. Il n'y a pas un chat alentour. »

Beryl secoua la tête. Mais déjà quelque chose frémissait en elle, quelque chose relevait la tête.

---

8. **something** : K.M. a manifesté dans la vie une certaine audace devant les hommes ; elle a connu des aventures brutales, souvent sans lendemain. Ce **something** qu'elle évoque ici, il lui est arrivé de s'y soumettre, d'y céder naturellement, sans avoir à vaincre des tabous moraux ou religieux.

9. C'est déjà l'image du serpent tentateur.

The voice said, "Frightened?" It mocked[1], "Poor little girl!"

"Not in the least," said she. As she spoke that weak thing within her seemed to uncoil[2], to grow suddenly tremendously strong[3]; she longed to go!

And just as if this was quite understood by the other, the voice said, gently and softly, but finally[4], "Come along!"

Beryl stepped over her low window, crossed the veranda, ran down the grass to the gate. He was there before her.

"That's right," breathed the voice, and it teased[5], "You're not frightened, are you? You're not frightened?"

She was; now she was here she was terrified and it seemed to her everything was different. The moonlight stared and glittered; the shadows were like bars[6] of iron. Her hand was taken.

"Not in the least," she said lightly. "Why should I be[7]?"

Her hand was pulled gently, tugged. She held back.

"No, I'm not coming any further," said Beryl.

"'Oh, rot!'" Harry Kember[8] didn't believe her. "Come along! We'll just go as far as that fuchsia[9] bush. Come along!"

The fuchsia bush was tall. It fell over the fence in a shower. There was a little pit of darkness beneath[10].

---

1. **it mocked**: **to mook**, *ironiser, persifier,* par opp. à **to tease**, *taquiner,* ou à **not to care about something/ somebody,** *se moquer* au sens de "ne pas tenir compte de, se moquer de qqch., de qqn".

2. L'image du serpent se poursuit et se développe.

3. **strong**: on pourrait appeler ça le désir.

4. **finally** a ici le sens un peu particulier de: *décisivement; pour emporter la décision.*

5. Cette voix — si tant est qu'elle ait une existence — a tort de **mock** et **tease**. C'est par ce ton qu'elle ira à l'échec.

6. **bars**: son angoisse éveille en elle l'image d'une prison (**iron bars**), sans doute née de l'oppression de son cœur.

La voix insista : « Vous avez peur ? » Elle railla : « Pauvre petite fille !

— Pas le moins du monde », rétorqua Beryl. En même temps, cette chose faible dans sa poitrine sembla se délover, devenir tout à coup fabuleusement puissante ; Beryl brûlait d'obtempérer !

Et précisément comme si l'autre avait parfaitement compris l'affaire, la voix dit, avec douceur, suavité, mais avec décision : « Mais venez donc ! »

Beryl enjamba sa fenêtre basse, traversa la véranda, courut sur la pelouse jusqu'au portail. Il était là devant elle.

« Voilà qui est bien », exhala la voix, puis elle lança, taquine : « Vous n'avez pas peur, n'est-ce pas ? Vous n'avez pas peur ? »

Si, elle avait peur ; à présent qu'elle se trouvait là, elle était saisie de terreur et tout lui paraissait différent. Le clair de lune avait le regard fixe et fulgurant ; les ombres n'étaient que des barreaux de fer. Sa main fut saisie.

« Pas le moins du monde, dit-elle, l'air de rien. Pourquoi aurais-je peur ? » Sa main fut happée sans violence, tirée fermement. Beryl résista.

« Non, je ne viens pas plus loin, dit-elle.

— Oh, foutaise ! » Harry Kember ne la crut pas. « Venez donc ! Nous n'irons pas plus loin que ce massif de fuchsias. Allons, venez ! »

Le buisson de fuchsias était de belle taille. Il retombait en pluie par-dessus la clôture. Au-dessous, il y avait une petite fosse de ténèbres.

---

7. why : mais elle est audacieuse. Le carcan de l'ère victorienne s'estompe, surtout en ces terres lointaines et au sein d'une famille relativement émancipée.

8. Harry Kember : c'était donc lui, l'homme de tous les fantasmes !

9. **fuchsia** : [ˈfjuːʃə].

10. **... beneath** : c'est une version familière des abîmes de la luxure.

"No, really, I don't want to," said Beryl.

For a moment Harry Kember didn't answer. Then he came close to her, turned to her, smiled and said quickly, "Don't be silly! Don't be silly!"

His smile was something she'd never seen before. Was he drunk? That bright, blind, terrifying smile froze her with horror. What was she doing? How had she got here? The stern garden asked her as the gate pushed open, and quick as a cat Harry Kember came through and snatched her to him.

"Cold little devil! Cold little devil!" said the hateful voice.

But Beryl was strong. She slipped, ducked, wrenched free.

"You are vile, vile," said she[1].

"Then why in God's name did you come?" stammered Harry Kember.

Nobody answered him.

A cloud, small, serene, floated across the moon. In that moment of darkness the sea sounded deep, troubled[2]. Then the cloud sailed away, and the sound of the sea was a vague murmur, as though it waked out of a dark dream. All was still[3].

---

1. **said she**: la scène, qui s'intègre dans le rêve de Beryl, a la force du vécu — par K.M., femme audacieuse, "puissamment licencieuse" (selon ses propres termes), désireuse de connaître "toute l'octave du sexe".

2. **troubled**: la nuit recouvre tout. La paix revient. Le petit nuage symbolique n'a troublé qu'un instant la paix de l'univers.

3. **all was still**: l'auteur laisse planer le doute. Un **dark dream,** probablement.

« Non, vraiment, je ne veux pas », dit Beryl.

Pendant un moment, Harry Kember demeura sans réponse. Puis il se rapprocha d'elle, se tourna vers elle et dit bien vite, dans un sourire : « Ne faites pas la sotte ! Ne faites pas la sotte ! »

Son sourire, elle n'avait encore jamais rien vu de tel. Était-il ivre ? Ce sourire éclatant, aveugle, terrifiant, la glaça d'horreur. Que faisait-elle ? Comment était-elle arrivée ici ? Le jardin sévère le lui demandait, au moment où s'ouvrait le portail d'une poussée, et où, rapide comme un chat, Harry Kember entrait et l'attirait fougueusement contre lui.

« Froid petit démon ! Froid petit démon ! » disait l'odieuse voix.

Mais Beryl était forte. Elle se faufila, se déroba, se dégagea énergiquement.

« Vous êtes ignoble, ignoble, dit-elle.

— Alors, pourquoi, au nom de Dieu, pourquoi êtes-vous venue ? » balbutia Harry Kember.

Personne ne lui répondit.

Un nuage, petit, serein, vint flotter devant la lune. En cet instant de ténèbres, la mer eut des résonances profondes, inquiètes. Puis le nuage reprit sa course et s'éloigna, et le bruit de la mer devint un vague murmure comme si elle se réveillait d'un rêve noir. Tout fut tranquille.

THE WIND BLOWS

LE VENT SOUFFLE

Suddenly—dreadfully—she wakes up. What has happened? Something dreadful has happened. No—nothing has happened[1]. It is only the wind shaking the house, rattling the windows, banging a piece of iron on the roof and making her bed tremble[2]. Leaves flutter past the window, up and away; down in the avenue a whole newspaper wags in the air like a lost kite and falls, spiked on a pine tree. It is cold. Summer[3] is over[4]—it is autumn—everything is ugly. The carts rattle by, swinging from side to side; two Chinamen[5] lollop along under their wooden yokes with the straining vegetable baskets—their pigtails[6] and blue blouses fly out in the wind. A white dog on three legs yelps[7] past the gate. It is all over! What is? Oh, everything! And she begins to plait her hair with shaking fingers, not daring to look in the glass. Mother[8] is talking to grandmother in the hall.

"A perfect idiot! Imagine leaving anything out on the line in weather like this... Now my best little Teneriffe[9]-work teacloth is simply in ribbons. *What* is that extraordinary smell? It's the porridge burning. Oh, heavens—this wind!"

She has a music lesson at ten o'clock. At the thought the minor movement of the Beethoven begins to play in her head, the trills long and terrible like little rolling drums...

---

1. **happened**: cette répétition peut sembler maladroite. À être réveillé en sursaut, on a du mal à trouver ses mots...

2. **tremble**: K.M. ne fait pas de couleur locale. Au lecteur, intuitif, de sentir ce que ce vent peut avoir d'exotique.

3. **summer**: les saisons de Nouvelle-Zélande sont à l'inverse de l'hémisphère nord. Décembre-février: été; mars-mai: automne; juin-août: hiver; septembre-novembre: printemps.

4. **over**: par opp. à **finished,** s'emploie à propos d'une période ou d'un événement dont la durée peut être mesurée.

5. **Chinamen**: dans toute l'Océanie, on va « chez le Chinois ». Ce sont eux qui détiennent le petit commerce. Comme dans le Maghreb, on va chez le M'zabite.

6. **pigtail**: *natte de cheveux;* également, *tabac en corde.* Notons, sur le même modèle, **ponytail**: *queue de cheval.*

Brusquement — horriblement — elle se réveille. Que s'est-il passé ? Quelque chose d'affreux est arrivé. Non, il ne s'est rien passé. Ce n'est que le vent, qui fait trembler la maison, ébranle les fenêtres, cogne un morceau de fer contre le toit et fait vibrer son lit. Devant la fenêtre, tourbillonnent, s'envolent et disparaissent des feuilles ; en bas de l'avenue, un journal entier voltige dans l'air comme un cerf-volant égaré et tombe empalé sur un pin. Il fait froid. L'été est fini — l'automne est là —, tout est laid. Les charrettes passent à grand fracas, oscillant de droite et de gauche ; deux Chinois avancent par saccades, sous leurs jougs de bois bâtés de paniers de légumes — leurs nattes et leurs sarraus bleus flottent au vent. Un chien blanc, sur trois pattes, passe devant le portail en jappant. Tout est fini ! Mais quoi ? Oh, tout ! Et, les doigts tremblants, elle entreprend de tresser ses cheveux, sans oser risquer un œil sur le miroir. Maman est en train de parler à grand-mère dans le vestibule.

« Quelle imbécile ! Tu te rends compte, laisser la moindre affaire sur la corde par un temps pareil ! Résultat, mon plus beau petit napperon de Ténériffe est tout bonnement en lambeaux. Mais quelle est cette odeur extraordinaire ? C'est le porridge qui brûle. Oh, ciel, ce vent ! »

Elle a une leçon de musique à dix heures. À cette pensée, le mouvement mineur de son Beethoven commence à se jouer dans sa tête, les longs et terribles trilles comme un roulement de petits tambours...

7. **yelps :** **yelp,** *japper, glapir ;* **bark,** *aboyer ;* **whine,** *geindre.*
8. **Mother :** cette dernière phrase nous renseigne sur l'âge de **she.**
9. **Tenerife** (ou Teneriffe) : cette île des Canaries est célèbre pour sa dentelle à l'aiguille.

Marie Swainson[1] runs into the garden next door to pick the "chrysanths[2]" before they are ruined. Her skirt flies up above her waist; she tries to beat it down, to tuck it between her legs while she stoops, but it is no use—up it flies[3]. All the trees and bushes beat about her. She picks as quickly as she can, but she is quite distracted[4]. She doesn't mind what she does—she pulls the plants up by the roots and bends and twists them, stamping her foot and swearing. "For heaven's sake keep the front door shut! Go round to the back," shouts someone. And then she hears Bogey[5]:

"Mother, you're wanted on the telephone. Telephone, Mother. It's the butcher."

How hideous life is—revolting, simply revolting... And now her hat-elastic's snapped. Of course it would. She'll wear her old tam[6] and slip out the back way. But Mother has seen.

"Matilda. Matilda. Come back im-me-diately! What on earth[7] have you got on your head? It looks like a tea-cosy. And why have you got that mane of hair on your forehead?"

"I can't come back, Mother. I'll be late for my lesson."

"Come back immediately!"

She won't. She won't. She hates Mother.

---

1. **Swainson** est le nom de la directrice de l'école fréquentée par Kathleen et ses sœurs de 1900 à 1902, à Wellington.

2. **chrysanths** : le langage enfantin —et populaire— est souvent marqué d'abréviations. De nos jours, cette pratique s'est immensément répandue !

3. **up it flies** : l'inversion renforce le sens de la proposition. Noter l'importance sémantique de cette suite de prépositions (**up above... down... between... up... about**).

4. **distracted** : attention à ce faux ami : *égaré, affolé*. Distrait se dit : **absent-minded**.

Marie Swainson se précipite dans le jardin à côté pour cueillir les "chrysanthes" avant qu'ils soient fichus. Sa jupe s'envole au-dessus de sa taille ; elle essaye de la rabattre, de la coincer entre ses jambes pendant qu'elle se baisse, mais elle a beau faire, la jupe s'envole. Tous les arbres et les buissons se déchaînent autour d'elle. Elle cueille aussi vite qu'elle peut, mais elle perd la tête. Elle ne sait plus ce qu'elle fait, elle arrache les plantes par la racine, les courbe, les tord, trépigne, jure.

« Pour l'amour du ciel, laissez la porte d'entrée fermée ! Faites le tour par-derrière ! » crie quelqu'un. Puis elle entend Bogey :

« Maman, on te demande au téléphone. Téléphone, maman ! C'est le boucher. »

Combien la vie est hideuse, écœurante, absolument écœurante... Allons bon, son élastique de chapeau est craqué. Ça devait arriver. Elle va mettre son vieux béret et se faufiler par-derrière. Mais maman a vu.

« Mathilde. Mathilde. Reviens im-mé-diatement ! Mais qu'est-ce que tu es allée te fourrer sur la tête ? On dirait un couvre-théière. Et pourquoi toute cette tignasse sur le front ?

— Je ne peux pas revenir, maman. Je serai en retard pour ma leçon.

— Reviens immédiatement. »

Non, pas question. Elle déteste maman.

---

5. **Bogey** : K.M. appelait ainsi familièrement et affectueusement John Middleton Murry. Et les quatre sœurs Beauchamp appelaient ainsi leur petit frère, Leslie Herron.

6. **tam** : tam o'shanter est le mot complet.

7. **what on earth** : m. à m. *quoi sur terre...?*, c.-à-d. *que diable...?*

"Go to hell[1]," she shouts, running down the road.

In waves, in clouds, in big round whirls the dust[2] comes stinging, and with it little bits of straw and chaff and manure. There is a loud roaring sound from the trees in the gardens, and standing at the bottom of the road outside Mr. Bullen's gate she can hear the sea sob: "Ah!... Ah!... Ah-h!" But Mr. Bullen's drawing-room is as quiet as a cave[3]. The windows are closed, the blinds[4] half pulled, and she is not late. The-girl-before-her has just started playing MacDowell's[5] "To an Iceberg." Mr. Bullen looks over at her and half smiles.

"Sit down," he says. "Sit over there in the sofa corner, little lady."

How funny he is. He doesn't exactly laugh at you... but there is just something... Oh, how peaceful it is here. She likes this room. It smells of art serge and stale smoke and chrysanthemums[6]... there is a big vase of them on the mantelpiece behind the pale photograph of Rubinstein[7]... *à mon ami Robert Bullen*... Over the black glittering piano hangs "Solitude[8]"—a dark tragic woman draped in white, sitting on a rock, her knees crossed, her chin on her hands.

"No, no!" says Mr. Bullen, and he leans over the other girl, puts his arms over her shoulders and plays the passage for her. The stupid[9]—she's blushing! How ridiculous!

---

1. **hell**: *l'enfer* (**heaven,** *le paradis, les cieux* au sens théologique).
2. **dust**: quel meilleur moyen d'évoquer l'omniprésence de la poussière que de la décrire comme venant par vagues et par nuages ?
3. **cave**: *caverne, grotte. Une cave*: **a cellar,** ou pour une *cave d'immeuble*: **a basement.**
4. **blinds** (subst.): *les stores* (qui occultent le jour); orig.: **blind** (adj.), *aveugle*. Mais *les aveugles*: **the blind,** adj. invar.; de même **the deaf,** *les sourds,* **the dead,** *les morts,* etc.
5. **Edward MacDowell,** 1861-1908, compositeur américain.
6. Les chrysanthèmes reviennent souvent dans l'œuvre de K.M., ainsi que les capucines.

« Va-t'en au diable », s'écrie-t-elle en dévalant la route au pas de course.

En vagues, en nuages, en grands tourbillons circulaires, cingle la poussière, entraînant avec elle de menus brins de paille, de balle, de fumier. Des arbres du jardin sourd un fort mugissement et arrivée en bas de la rue devant le portail de Mr. Bullen, elle entend la mer sangloter : « Ah !... Ah !... Ah-h ! » Mais le salon de Mr. Bullen a la tranquillité d'une caverne. Les fenêtres sont fermées, les stores à moitié baissés, et elle n'est pas en retard. La fille-avant-elle vient juste d'attaquer le « À un iceberg », de MacDowell. Mr. Bullen lui adresse un coup d'œil, assorti d'un demi-sourire.

« Asseyez-vous, dit-il. Asseyez-vous là-bas, dans le coin du sofa, petite demoiselle. »

Comme il est drôle. Il ne se moque pas de vous, à proprement parler... mais il y a comme un soupçon... Oh, comme c'est paisible, ici. Elle aime cette pièce. Elle sent la serge peignée, la fumée refroidie et les chrysanthèmes... Il y en a un grand vase sur la cheminée, derrière la pâle photographie de Rubinstein... *à mon ami Robert Bullen*... Au-dessus du piano noir et étincelant est accrochée « Solitude », une femme brune tragique, drapée de blanc, assise sur un rocher, les genoux croisés, le menton sur les mains.

« Non, non ! » dit Mr. Bullen, et il se penche sur l'autre fille, passe les bras par-dessus ses épaules et joue le morceau à sa place. L'imbécile, elle rougit ! Ridicule !

---

7. **Arthur Rubinstein**. (1887-1982) célèbre pianiste polonais, grand interprète de Chopin.

8. **cave, iceberg, solitude** ne contribuent pas peu à créer un grand contraste entre le dehors, déchaîné et cataclysmique, et le dedans.

9. **the stupid** : cet adjectif substantivé est plus rarement employé que **the fool**.

Now the girl-before-her has gone; the front door slams. Mr. Bullen comes back and walks up and down[1], very softly, waiting for her. What an extraordinary thing. Her fingers tremble so that she can't undo the knot in the music satchel. It's the wind[2]... And her heart beats so hard she feels it must lift her blouse[3] up and down. Mr. Bullen does not say a word. The shabby[4] red piano seat is long enough for two people to sit side by side. Mr. Bullen sits down by her.

"Shall I begin with scales[5]," she asks, squeezing her hands together. "I had some arpeggios, too."

But he does not answer. She doesn't believe he even hears... and then suddenly his fresh hand with the ring on it reaches over and opens Beethoven.

"Let's have a little of the old master," he says.

But why does he speak so kindly—so awfully kindly—and as though[6] they had known each other for years and years and knew everything about each other.

He turns the page slowly. She watches his hand—it is a very nice hand and always looks as though it had just been washed.

"Here we are," says Mr. Bullen.

Oh, that kind voice—Oh, that minor movement. Here comes[7] the little drums...

"Shall I take the repeat?"

"Yes, dear child."

His voice is far, far too kind[8].

---

1. **up and down**: cf. p. 44, note 1.
2. **It's the wind**: ...bien sûr! Ce simple rappel apporte le trouble extérieur à l'intérieur du salon, suggère en même temps la similitude des deux chaos: celui des éléments, celui du cœur de Mathilde.
3. **blouse**: un peu de mauvaise foi « féminine » dans cette remarque purement technique.
4. **shabby**: souvent, chez K.M., la laideur vient brusquement faire irruption dans la beauté, ou l'émotion.
5. **scale**: *écaille; plateau de balance* (au pluriel: **balance**); *échelle*: de ce sens est dérivé *gamme*.

À présent, la fille-avant-elle est partie ; la porte d'entrée claque. Mr. Bullen revient, marche de long en large, à pas feutrés, en l'attendant. Quelle chose extraordinaire. Ses doigts tremblent au point de l'empêcher de dénouer le cordon du carton à musique. C'est le vent... Et son cœur bat si fort qu'il doit soulever son chemisier, elle en jurerait. Mr. Bullen ne dit pas un mot. La pauvre vieille banquette rouge est assez longue pour s'asseoir à deux, côte à côte. Mr. Bullen s'assied à côté d'elle.

« Je commence par les gammes ? demande-t-elle en s'étreignant les mains ; j'avais aussi des arpèges. »

Mais il ne répond pas. Entend-il seulement, elle ne le croit pas... et puis soudain, leste, la main de la bague s'avance et ouvre Beethoven.

« Voyons un peu le vieux maître », dit-il.

Mais pourquoi parle-t-il si gentiment, si terriblement gentiment, et comme s'ils se connaissaient depuis des années et des années, et savaient tout l'un de l'autre ?

Il tourne la page lentement. Elle observe sa main. C'est une très jolie main qui semble toujours lavée de frais.

« Nous y voici », dit Mr. Bullen.

Oh, cette voix tendre. Oh, ce mouvement mineur. Voici les petits tambours...

« Dois-je prendre la reprise ?

— Oui, chère enfant. »

Sa voix est beaucoup, beaucoup trop tendre.

----

6. **as though** : syn. de **as if**.

7. **comes** : les petits tambours sont considérés comme un tout, un ensemble : d'où le verbe au singulier.

8. Le mot **kind (kindly),** qui donne la tonalité de la scène, revient plusieurs fois.

The crotchets[1] and quavers[2] are dancing up and down the stave like little black boys on a fence. Why is he so... She will not cry—she has nothing to cry about...

"What is it, dear child?"

Mr. Bullen takes her hands. His shoulder is there—just by her head. She leans on it ever so little, her cheek against the springy tweed.

"Life is so dreadful," she murmurs, but she does not feel it's dreadful at all. He says something about "waiting" and "marking time" and "that rare thing, a woman," but she does not hear. It is so comfortable[3]... for ever...

Suddenly the door opens and in pops Marie Swainson, hours[4] before her time.

"Take the allegretto a little faster," says Mr. Bullen, and gets up and begins to walk up and down again.

"Sit in the sofa corner, little lady[5]," he says to Marie.

The wind, the wind. It's frightening to be here in her room by herself. The bed, the mirror, the white jug and basin gleam like the sky outside. It's the bed that is frightening. There it lies, sound asleep... Does Mother imagine for one moment that she is going to darn all those stockings knotted up on the quilt like a coil of snakes? She's not[6]. No, Mother. I do not see why I should...

---

1. **crotchet**: faux ami. C'est une *noire. Blanche*: **minim**; *ronde*: **semibreve**.

2. **quaver**: a quavering voice: *une voix chevrotante. Avoir des trémolos dans la voix*: to have quavers in one's voice.

3. **comfortable**: notons la différence d'orthographe entre l'anglais et le français: *confortable*.

4. **hours**: Mathilde, elle, n'était que « pas en retard ». Bel exemple d'interprétation subjective du temps; Marie a le toupet d'être des heures en avance...

144

Les noires et les croches dansent du haut en bas de la portée comme des petits garçons noirs sur une barrière. Pourquoi est-il si... Non, elle ne va pas pleurer, elle n'a aucune raison de pleurer...

« Qu'y a-t-il, chère enfant ? »

Mr. Bullen lui prend les mains. Son épaule est là, tout près de la jeune tête. Elle s'y appuie, à peine, à peine, la joue contre le souple tweed.

« La vie est si terrible », dit-elle dans un murmure, mais elle ne la trouve pas terrible du tout. Il parle vaguement d'« attendre », de « marquer le pas », de « cette chose rare, une femme », mais elle n'entend pas. C'est si confortable... à jamais...

Tout à coup, la porte s'ouvre, et voilà Marie Swainson, des heures en avance.

« Prenez l'allegretto un peu plus vite », dit Mr. Bullen ; il se lève et reprend sa déambulation.

« Asseyez-vous dans le coin du sofa, petite demoiselle », dit-il à Marie.

Le vent, le vent. Cela fait peur d'être ici dans sa chambre, toute seule. Le lit, le miroir, le broc et la cuvette blancs luisent comme le ciel au-dehors. C'est le lit qui fait peur. Étendu là, profondément endormi... Est-ce que maman se figure une seconde qu'elle va ravauder tous ces bas noués ensemble sur la courtepointe comme un nœud de serpents ? Eh bien, non. Non, maman. Je ne vois pas pourquoi je le ferais...

---

5. **little lady :** la même phrase stéréotypée d'accueil, ressentie de façon si différente par Mathilde selon qu'elle lui est ou non adressée, vient ponctuer la fin de la scène.

6. **she's not :** Mathilde a hautement l'esprit de rébellion. La jeune Kass, également, dans sa famille, était une grande rouspéteuse.

The wind—the wind! There's a funny smell of soot blowing down the chimney. Hasn't anyone written poems to the wind?... "I bring fresh flowers to the leaves and showers"... What nonsense.

"Is that you, Bogey?"

"Come for a walk round the esplanade[1], Matilda. I can't stand this any longer."

"Right-o[2]. I'll put on my ulster. Isn't it an awful day!" Bogey's ulster[3] is just like hers. Hooking[4] the collar she looks at herself in the glass. Her face is white, they have the same excited eyes and hot lips. Ah, they know those two in the glass. Good-bye, dears; we shall be back soon.

"This is better, isn't it?"

"Hook on," says Bogey.

They cannot walk fast enough. Their heads bent, their legs just touching, they stride like one eager person through the town, down the asphalt zigzag where the fennel grows wild and on to the esplanade. It is dusky— just getting dusky. The wind is so strong that they have to fight their way through[5] it, rocking like two old drunkards. All the poor little pahutukawas[6] on the esplanade are bent to the ground.

"Come on! Come on! Let's get near."

Over by the breakwater the sea is very high. They pull off their hats and her hair blows across her mouth, tasting of salt.

---

1. **esplanade**: c'est une *esplanade*; mais dans une ville du bord de mer, c'est une *digue* (nous avons entendu le sanglot de la mer quelques pages plus haut).

2. **right-o**: s'écrit parfois **righto**; appartient au langage familier.

3. **ulster**: nommé d'après la région nord de l'Irlande, c'est un long *pardessus* d'hiver en forme de robe de chambre.

4. **hooking**: hook: *crochet, agrafe, hameçon*. Par extension, dans le langage familier: **to hook**: *filer, décamper*.

Le vent — le vent ! Une bizarre odeur de suie descend par bouffées de la cheminée. On n'a pas déjà écrit des poèmes au vent ?... « J'apporte des fleurs fraîches aux feuilles et aux averses »... Quelle ânerie.

« C'est toi, Bogey ?

— Viens faire un tour sur la digue, Mathilde. Je ne peux plus supporter ça.

— D'accord. Je mets mon manteau. Dis donc, quelle journée terrible ! » Bogey a exactement le même manteau qu'elle. En agrafant son col, elle se regarde dans la glace. Son visage est blanc, ils ont les mêmes yeux enflammés, les mêmes lèvres chaudes. Ah, ils les connaissent, ces deux-là, dans la glace. Salut, mes petits ; on sera de retour bientôt.

« C'est mieux, ici, hein ?

— En avant, toute », dit Bogey.

Pas moyen de marcher assez vite. Têtes baissées, les jambes à touche-touche, ils avancent à enjambées forcées, comme une seule personne pressée, par la ville, le long du zigzag d'asphalte où le fenouil pousse sauvage, et jusque sur la digue. Il fait sombre, le crépuscule commence à tomber. Le vent est si fort qu'il leur faut s'acharner contre lui pour passer au travers, titubant tous deux comme deux vieux ivrognes. Tous les pauvres petits pahutukawas sur la digue sont ployés au sol.

« Viens ! Viens ! Rapprochons-nous ! »

Là-bas près du brise-lames, la mer est très haute. Ils enlèvent leurs chapeaux, les cheveux de Mathilde lui volent dans la bouche avec un goût de sel.

---

5. **through** : de même que l'on fend une foule (**to fight,** ou **to elbow one's way through a crowd**), de même ce vent a la consistance d'un mur, qu'il faut traverser.

6. **pahutukawa :** mot maori. Arbuste pouvant atteindre trois mètres de haut, appelé **Christmas tree** à cause des fleurs rouge sombre dont il se pare en décembre. Ces fleurs rappellent celles des acacias julibriscens de nos jardins.

The sea is so high that the waves do not break at all; they thump[1] against the rough stone wall and suck up the weedy, dripping steps. A fine spray skims[2] from the water right across the esplanade. They are covered with drops; the inside of her mouth tastes wet and cold.

Bogey's voice is breaking[3]. When he speaks he rushes up and down the scale. It's funny—it makes you laugh—and yet it just suits the day. The wind carries their voices—away fly[4] the sentences like little narrow ribbons.

"Quicker! Quicker!"

It is getting very dark. In the harbour the coal hulks[5] show two lights—one high on a mast and one from the stern.

"Look, Bogey. Look over there."

A big black steamer with a long loop of smoke streaming, with the portholes lighted, with lights everywhere, is putting out[6] to sea. The wind does not stop her; she[7] cuts through[8] the waves, making for the open gate between the pointed rocks that leads to... It's the light that makes her look so awfully beautiful and mysterious... *They* are on board leaning over the rail arm in arm.

"...Who are they?"

"...Brother and sister[9]."

"Look, Bogey, there's the town. Doesn't it look small?

---

1. **thump** : à la différence de **knock,** évoque un heurt violent mais amorti.

2. **skims** : littéralement *écrème* (**skimmed milk,** *du lait écrémé*).

3. **breaking** : *la mue d'un serpent* : **sloughing** *(la dépouille* : **slough**). *La mue d'une voix* : **breaking**. *D'un oiseau, d'un mammifère* : **moulting**.

4. **away fly** : cf. note 3, p. 138.

5. **hulk** : dans l'ancienne marine, **hulk** est un *navire pénitencier*, un *bagne flottant*.

Au xixe siècle, la Nouvelle-Zélande avait deux exploitations minières principales : l'or et le charbon.

La mer est si haute que les vagues ne se brisent absolument pas ; elles cognent contre la paroi de pierre brute et aspirent les marches ruisselantes, envahies d'algues. De fins embruns surgis de l'eau aspergent toute la digue. Les deux enfants sont couverts de gouttelettes, elle a dans la bouche une saveur humide et froide.

La voix de Bogey est en période de mue. Quand il parle, il file du haut en bas de la gamme. C'est drôle — ça fait rire — et en plus ça va on ne peut mieux avec cette journée. Le vent emporte leurs voix, s'envolent les phrases comme de maigres petits rubans.

« Plus vite ! Plus vite ! »

Il commence à faire très noir. Dans le port, les pontons à charbon arborent deux lumières, l'une en hauteur sur un mât, l'autre à l'arrière.

« Regarde, Bogey. Regarde là-bas. »

Un grand vapeur noir, d'où ruisselle un long méandre de fumée, tous hublots éclairés, avec des lumières partout, prend le large. Le vent ne l'arrête pas ; il fend les vagues et se dirige vers la grande passe entre les rocs pointus qui mène à... C'est la lumière qui le fait paraître si terriblement beau et mystérieux... Eux, là-bas, sont à bord et s'appuient sur le bastingage, bras dessus, bras dessous.

« ... Qui sont-ils ?

— ... Le frère et la sœur. »

« Regarde, Bogey, voilà la ville. N'a-t-elle pas l'air petit ?

6. **to put out (to sea)**, verbe intransitif, est un terme de marine : *prendre le large, prendre la mer.*

7. **she** : les navires échappent au genre neutre, et ont droit, promotionnellement, au féminin.

8. **through** : rien n'arrête ce grand vapeur, ni muraille de vent ni mer forte.

9. Kass et Leslie Heron avaient une passion l'un pour l'autre.

There's the post-office clock chiming for the last time. There's the esplanade where we walked that windy day. Do you remember? I cried at my music lesson that day—how many years ago! Good-bye, little island, good-bye..."

Now the dark stretches a wing over the tumbling water. They can't see those two any more. Good-bye[1], good-bye. Don't forget... But the ship is gone, now.

The wind—the wind[2].

---

1. **good-bye**: l'imagination de Mathilde la transporte un moment sur le vapeur, avec Bogey, et la projette des années en avant. Très intensément et fugitivement.

2. Le vent — la nouvelle s'achève sur ce mot — en est la cause.

Tiens, l'horloge de la poste qui carillonne pour la dernière fois. Voilà la digue où nous avons marché, ce fameux jour de vent. Tu te rappelles ? J'ai pleuré à ma leçon de musique, ce jour-là, il y a combien d'années ! Au revoir, petite île, au revoir... »

À présent, les ténèbres étendent une aile sur le tumulte des eaux. Ces deux-là, ils ne les voient plus. Au revoir, au revoir. N'oubliez pas... Mais le navire a disparu, maintenant.

Le vent, le vent.

CARNATION

ŒILLET

On those hot[1] days Eve—curious Eve—always carried a flower. She snuffed it and snuffed it, twirled it in her fingers, laid it against her cheek, held it to her lips, tickled Katie's[2] neck with it, and ended, finally, by pulling it to pieces and eating it, petal by petal.

"Roses are delicious, my dear Katie," she would say, standing in the dim cloak-room, with a strange decoration of flowery hats on the hat pegs behind her—"but carnations[3] are simply divine! They taste like—like—ah well[4]!" And away her little thin laugh flew, fluttering among those huge, strange flower heads on the wall behind her. (But how cruel her little thin laugh was! It had a long sharp beak and claws and two bead eyes[5], thought fanciful Katie.)

To-day it was a carnation. She brought a carnation to the French class, a deep, deep red one, that looked as though it had been dipped in wine and left in the dark to dry. She held it on the desk before her, half shut her eyes and smiled.

"Isn't it a darling?" said she. But—

"*Un peu de silence, s'il vous plaît,*" came from M. Hugo. Oh, bother[6]! It was too hot! Frightfully hot! Grilling[7] simply!

The two square windows of the French Room were open at the bottom[8] and the dark blinds drawn half-way down.

---

1. **hot**: toute la nouvelle naît de la canicule.

2. **Katie,** qualifiée de **fanciful,** c'est sûrement K.M. **Imaginative to the point of untruth**: voici le commentaire d'une de ses professeurs, Mrs Smith, à l'école de Wellington.

3. **carnation**: désigne plutôt *l'œillet de fleuriste.*

4. **ah well!**: dirait-on pas (avec 70 ans d'avance) le modèle d'une publicité moderne, où des jeunes gens, sollicités de décrire un parfum qu'ils adorent, échouent à faire passer leur émotion dans les mots?

154

Par ces journées de chaleur, Ève (drôle de fille, Ève) amenait toujours avec elle une fleur. Elle la humait, la humait encore, la faisait tournoyer entre ses doigts, en effleurait sa joue, la portait à ses lèvres, la passait dans le cou de Katie pour la chatouiller et pour finir, l'effeuillait et la mangeait, pétale après pétale.

« Les roses, c'est délicieux, ma chère Katie, disait-elle, debout dans la pénombre du vestiaire, une étrange décoration de chapeaux à fleurs en ringuette sur les patères derrière elle, mais les œillets, c'est tout simplement divin ! Ils ont un goût de... de... ben, enfin ! » Et aussitôt s'envolait son petit rire grêle, voletait au milieu de ces énormes capitules étranges, sur le mur, derrière elle. (Mais qu'il était cruel, son petit rire grêle ! Il avait un long bec pointu, des griffes et des yeux de perle, se disait l'imaginative Katie.)

Ce jour-là, c'était un œillet. Elle en avait amené un à la classe de français, un œillet d'un rouge foncé, mais foncé, qu'on aurait dit trempé dans du vin puis mis à sécher dans l'obscurité. Elle le tint sur le pupitre devant elle, ferma les yeux à demi et sourit.

« Il est adorable, tu ne trouves pas ? dit-elle. Mais...

— *Un peu de silence, s'il vous plaît* », lança M. Hugo. Oh, la barbe ! Il faisait trop chaud ! Effroyablement chaud ! On grillait, quoi !

Les deux fenêtres carrées de la salle de français étaient soulevées et les jalousies sombres, à demi baissées.

---

5. **bead eyes** : la vision du petit rire en oiseau (mais en oiseau de proie) est annoncée par les deux verbes, **flew** et **fluttering**.

6. **bother**, en exclamation, est familier.

7. De même, **grilling (it's grilling hot)** : en français aussi.

8. **bottom** : ce sont des fenêtres à guillotine **(sash windows)**, s'ouvrant par le bas et par moitié.

Although no air came in, the blind cord swung out and back and the blind lifted. But really there was not a breath from the dazzle outside.

Even the girls, in the dusky[1] room, in their pale blouses, with stiff butterfly[2]-bow hair ribbons perched on their hair, seemed to give off a warm, weak light, and M. Hugo's white waistcoat[3] gleamed like the belly of a shark[4].

Some of the girls were very red in the face and some were white. Vera Holland had pinned up her black curls *à la japonaise* with a penholder and a pink pencil; she looked charming. Francie Owen pushed her sleeves nearly up to the shoulders, and then she inked the little blue vein in her elbow, shut her arm together, and then looked to see the mark it made; she had a passion for inking herself; she always had a face drawn on her thumb[5] nail, with black, forked hair. Sylvia Mann took off her collar and tie, took them off[6] simply, and laid them on the desk beside her, as calm as if she were going to wash her hair in her bedroom at home. She *had* a nerve! Jennie Edwards tore a leaf out of her notebook and wrote "Shall we ask old Hugo-Wugo[7] to give us a thrippenny[8] vanilla on the way home!!!" and passed it across to Connie Baker, who turned absolutely purple and nearly burst out crying. All of them lolled and gaped, staring at the round clock, which seemed to have grown paler, too; the hands[9] scarcely crawled.

---

1. **dusky** : l'intérieur de l'établissement est sombre, ce qui renforce l'impression de chaleur étouffante (id. : *dim cloak-room*).
2. **butterfly** : l'image est belle et une grande économie de mots préside à son évocation. Les papillons eux-mêmes sont **perched**, *immobilisés* par la chaleur.
3. **waistcoat** : l'allitération en **w** (**warm, weak, white, waistcoat**) s'étire comme un bâillement.
4. **shark** : la comparaison est saisissante. K.M. aime souvent mêler les divers éléments (l'air et l'eau, ici) à ses évocations.
5. **thumb** : le **b** ne se prononce pas. De même pour **crumb**, *miette*.
6. **off** : notons l'importance des postpositions dans ce passage. Il

Bien qu'il ne vînt aucun air du dehors, le cordon de la jalousie avait un petit mouvement de balançoire et la jalousie se soulevait. Mais vraiment, il n'entrait pas un souffle, de l'aveuglante clarté, au-dehors.

Même les filles, dans la salle obscure, avec leurs blouses pâles, des nœuds papillons de ruban raide piqués dans les cheveux, semblaient exhaler une chaude lueur ; et le gilet blanc de M. Hugo luisait comme le ventre d'un requin.

Parmi les filles, certaines étaient écarlates, d'autres, toutes pâles. Vera Holland avait remonté ses boucles noires en les épinglant *à la japonaise* avec un porte-plume et un crayon rose ; elle était à ravir. Francie Owen releva ses manches presque jusqu'aux épaules ; ensuite, elle suivit à l'encre le tracé de la petite veine bleue à la saignée du coude, referma le bras, puis regarda pour voir la marque ; le tatouage à l'encre était chez elle une passion ; l'ongle de son pouce était toujours orné d'une tête aux cheveux noirs avec une raie au milieu. Sylvia Mann enleva son col et sa cravate, les enleva carrément, et les posa près d'elle sur le pupitre, aussi calme que si elle s'apprêtait à se laver les cheveux dans sa chambre chez elle. Elle avait un de ces toupets ! Jennie Edwards arracha une page de son cahier, écrivit : « On va demander au bon vieux Hugo-Wugo de nous payer un esquimau-vanille à six sous en rentrant à la maison ? ! ! » et fit passer le papier à Connie Baker qui devint absolument cramoisie et faillit fondre en larmes. Toute la classe se trémoussait et bâillait, les yeux rivés à la pendule ronde qui semblait avoir pâli, elle aussi ; les aiguilles avaient du mal à se traîner.

---

n'est question que de relever, de remonter, d'enlever, d'arracher (**up, off, out**).

7. **Hugo-Wugo** : les Anglais aiment ce jeu de sons : il recèle une nuance condescendante, de dérision légère. **Namby-pamby** : *maniéré,* « *cucul* » ; **jim-jams** : *delirium tremens.*

8. **thrippeny** : orthographe de familiarité : **threepenny**.

9. **hands** : *mains ; travailleur manuel ; aiguille d'horloge.*

"Un peu de silence, s'il vous plaît," came from M. Hugo. He held up a puffy hand. "Ladies, as it is so 'ot[1] we will take no more notes to-day, but I will read you"—and he paused and smiled a broad, gentle smile—"a little French poetry."

"Go—od God!" moaned Francie Owen.

M. Hugo's smile deepened. "Well, Mees[2] Owen, you need not attend. You can paint yourself. You can 'ave my red ink as well as your black one."

How well they knew the little blue book with red edges that he tugged out of his coat-tail[3] pocket! It had a green silk marker embroidered in forget-me-nots. They often giggled at it when he handed the book round. Poor old Hugo-Wugo! He adored reading poetry. He would[4] begin, softly and calmly, and then gradually his voice would swell and vibrate and gather itself together, then it would be pleading and imploring and entreating, and then rising, rising triumphant, until it burst into light, as it were, and then—gradually again, it ebbed, it grew soft and warm and calm and died down into nothingness[5].

The great difficulty was, of course, if you felt at all[6] feeble, not to get the most awful fit of the giggles[7]. Not because it was funny, really, but because it made you feel uncomfortable, queer, silly, and somehow ashamed for old Hugo-Wugo. But—oh dear—if he was going to inflict it on them in this heat...!

---

1. **'ot** : les Français, c'est bien connu, sont fréquemment inaptes à prononcer les h aspirés (les Cockneys, également).

2. **Mees** : de même, ils ignorent la différence entre les brèves [i] et les longues [i:].

3. **coat-tail** : les jeunes filles viennent à l'école en chapeau, elles ont des rubans dans les cheveux, portent col et cravate, et le prof' est en habit queue-de-pie.

4. **would** : auxiliaire d'habitude (au présent : **will**). K.M. le répète trois fois, pas innocemment...

« *Un peu de silence, s'il vous plaît* », lança M. Hugo. Il leva une main boudinée. « Mesdemoiselles, étant donné la chaleur, nous allons arrêter de prendre des notes, pour aujourd'hui ; je vais vous lire — il s'interrompit pour sourire d'un large sourire bénin — un peu de poésie française.

— Sei-gneur ! » gémit Francie Owen.

Le sourire de M. Hugo s'intensifia. « Mais vous n'êtes pas forcée de suivre, m'zelle Owen. Vous n'avez qu'à vous peinturlurer. Prenez donc mon encre rouge, en plus de votre encre noire. »

Si elles le connaissaient, le petit livre bleu, rouge sur tranche, qu'il extrayait de la poche de sa queue-de-pie ! Avec son signet de soie verte brodée de myosotis. Elles en rigolaient souvent, quand Hugo faisait circuler le livre. Pauvre vieux Hugo-Wugo ! Il adorait lire des poèmes. Il commençait toujours sur un mode calme et doux, puis par degrés sa voix s'enflait, vibrait, se gonflait, prenait des accents suppliants, implorants, pressants, et s'élevait, s'élevait jusqu'au triomphe avant d'éclater en fracas de lumière, pour ainsi dire ; puis, par paliers de nouveau, elle refluait, douce, chaude, calme, et s'éteignait, rentrant dans le néant.

La grande difficulté, évidemment, si on commençait à flancher, c'était d'éviter la plus abominable crise de fou rire. Non que la situation fût drôle, à la vérité, mais à la vivre, on se sentait mal à l'aise, bizarre, idiot, et d'une certaine façon, honteux pour le vieil Hugo-Wugo. Mais — oh, la, la ! — s'il se préparait à leur infliger la séance par une chaleur pareille !...

---

5. **nothingness** : le rythme de la phrase est magnifique, en particulier le choix de ces trois adjectifs courts, derniers balancements de la voix avant l'extinction.

6. **at all** : *tant soit peu*. If it is at all possible : *dans la mesure du possible*. If it rains at all : *si tant est qu'il pleuve*.

7. **giggles** : [gi], parce que le i est suivi de deux consonnes. Sinon, [ʒi] ou [dʒi] : **gigolo, gigantic**. Mais : **gillyflower** [dʒi] : *giroflée*.

"Courage, my pet," said Eve, kissing the languid[1] carnation.

He began, and most of the girls fell forward, over the desks, their heads on their arms, dead at the first shot. Only Eve and Katie sat upright and still. Katie did not know enough French to understand, but Eve sat listening, her eyebrows raised, her eyes half veiled, and a smile that was like the shadow of her cruel little laugh, like the wing shadows of that cruel little laugh fluttering over her lips. She made a warm, white cup of her fingers—the carnation inside. Oh, the scent[2]! It floated across to Katie. It was too much. Katie turned away to the dazzling light outside the window.

Down below, she knew, there was a cobbled courtyard with stable buildings round it. That was why the French Room always smelled faintly of ammonia[3]. It wasn't unpleasant; it was even part of the French language for Katie—something sharp and vivid and—and—biting[4]!

Now she could hear a man clatter over the cobbles and the jing-jang[5] of the pails he carried. And now *Hoo-hor-her! Hoo-hor-her!* as he worked the pump and a great gush of water followed. Now he was flinging the water over something, over the wheels of a carriage perhaps. And she saw the wheel, propped up, clear of[6] the ground, spinning round, flashing scarlet and black, with great drops glancing off it.

---

1. **languid**: K.M. est une aficionada de l'hypallage : cette figure de style consiste à attribuer à un mot de la phrase ce qui convenait à un autre mot de la même phrase. Ex. : le marchand accoudé sur son comptoir avide.

2. **scent** : est presque toujours laudatif.

3. **ammonia** : **ammoniac** existe, mais en tant qu'adjectif. Le substantif est **ammonia**.

4. **biting** : allusion au **biting horse**, *cheval mordeur ?*

« Courage, mon chou », dit Ève avec un baiser au languissant œillet.

Il commença, et la plupart des filles se laissèrent tomber sur leur pupitre, la tête sur les bras, mortes à la première décharge. Seules, Ève et Katie restèrent bien droites, sans bouger. Katie ne savait pas assez de français pour comprendre, mais Ève écoutait, les sourcils levés, les yeux à demi voilés, et un sourire qui semblait l'ombre de son cruel petit rire, l'ombre des ailes de ce fameux cruel petit rire, voletant sur ses lèvres. De ses doigts, elle fit une chaude corolle blanche, l'œillet au centre. Oh, ce parfum ! Il atteignait Katie de ses effluves. C'en était trop. Katie se détourna vers l'aveuglante lumière du dehors.

En bas, elle le savait, il y avait une cour pavée entourée d'écuries. C'est pour ça que la salle de français sentait toujours vaguement l'ammoniaque. Ce n'était pas désagréable ; pour Katie, ça faisait même partie de la langue française, quelque chose de piquant, de vigoureux, et… et… de mordant !

Elle entendit alors les pas d'un homme résonner sur les pavés, et le cliquetis des seaux qu'il transportait. Puis, *Hou-hor-her ! Hou-hor-her*, tandis qu'il actionnait la pompe, suivi d'un grand jaillissement d'eau. À présent, il lançait l'eau sur quelque chose, les roues d'un attelage peut-être. Et cette roue, elle la vit, munie de hausses, dégagée du sol, tourner à vide, fulgurer d'écarlate et de noir, et lancer de larges gouttes en ricochet.

---

5. **jing-jang** : souplesse de construction exclue en français : un même verbe a pour complément une infinitive et un nom.
Le français a moins de goût pour les onomatopées. **Jing-jang** se passe d'explication, mais semble être un néologisme.

6. **clear of** : to stand (to keep) clear of the doors : *attention aux portes ; dégager les portes.*

And all the while he worked the man kept up a high, bold whistling that skimmed over the noise of the water as a bird skims over the sea. He went away—he came back again leading a cluttering horse.

Hoo-hor-her! Hoo-hor-her! came from the pump. Now he dashed the water over the horse's legs and then swooped down and began brushing.

She *saw* him simply[1]—in a faded shirt, his sleeves rolled up, his chest bare, all splashed with water—and as he whistled, loud and free, and as he moved, swooping and bending, Hugo-Wugo's voice began to warm, to deepen, to gather together, to swing, to rise—somehow or other to keep time with the man outside (Oh, the scent of Eve's carnation!) until they became one great rushing, rising, triumphant thing, bursting into light, and then[2]—

The whole room broke into pieces.

"Thank you, ladies," cried M. Hugo, bobbing at his high desk, over the wreckage[3].

And "Keep it, dearest," said Eve. *"Souvenir tendre[4],"* and she popped the carnation down the front of Katie's blouse.

1917

---

1. **simply** : elle fantasme gentiment, l'imaginative Katie. L'homme est perçu d'abord par les bruits de son travail, accompagnés d'un fier sifflement (l'apanage de l'homme, évidemment) ; et surgit enfin une belle image virile.
2. **and then** : la montée paroxystique des deux « perceptions » —celle de la cour, celle de la classe— et l'amalgame réalisé par la sensualité de la jeune fille sont remarquables.
3. **wreckage** : la salle de classe vue comme un champ de bataille (**the girls... dead at the first shot**) ou un navire naufragé (Hugo sur le pont contemplant les débris). **Wreckage** : *naufrage,* et *épaves éparses, débris.*
4. **« Souvenir tendre »** : le dernier geste boucle sensuellement la boucle de cette heure torride, avec l'inévitable « French touch », en pareil cas. Un petit chef-d'œuvre.

Pendant toute la durée de son travail, l'homme s'accompagna d'un sifflement clair et hardi qui rasait le bruit de l'eau comme un oiseau vole à fleur d'eau sur la mer. Il s'éloigna, il revint, menant un cheval aux sabots sonores.

Hou-hor-her! Hou-hor-her! chantait la pompe.

L'homme arrosa à pleins seaux les jambes du cheval, puis se baissa et entreprit de l'étriller.

Elle le voyait véritablement — en chemise délavée, manches relevées, poitrine à nu, tout éclaboussée d'eau et tandis qu'il sifflait, à grands trilles libres, tandis qu'il se mouvait, ployant soudain, courbant le dos, la voix de Hugo-Wugo prit des accents de plus en plus chauds, profonds, puissants, rythmés, vibrants — comme pour s'harmoniser avec cet homme, dehors (oh, le parfum de l'œillet d'Ève!) jusqu'à ne plus former qu'un grand élan triomphal, éclatant en plein essor dans un fracas de lumière, et puis...

Toute la classe vola en éclats.

« Merci, mesdemoiselles, cria M. Hugo, chaloupant sur son estrade au-dessus des débris.

— Garde-le, chérie, dit Ève. *Souvenir tendre* », et elle fourra l'œillet dans l'échancrure du chemisier de Katie.

1917

THE DOLL'S HOUSE

LA MAISON DE POUPÉE

When dear old Mrs. Hay went back to town after staying with the Burnells she sent the children a doll's house. It was so big that the carter and Pat[1] carried it into the courtyard, and there it stayed, propped up on two wooden boxes beside the feed-room[2] door. No harm could come to it; it was summer[3]. And perhaps the smell of paint would have gone off by the time it had to be taken in. For, really, the smell of paint coming from that doll's house ("Sweet of old Mrs. Hay, of course[4]; most sweet and generous!")—but the smell of paint was quite enough to make anyone seriously ill, in Aunt Beryl's opinion. Even before the sacking was taken off. And when it was...

There stood the doll's house, a dark, oily, spinach green[5], picked out with bright yellow. Its two solid little chimneys, glued on to the roof, were painted red and white, and the door, gleaming with yellow varnish, was like a little slab of toffee. Four windows, real windows, were divided into panes by a broad streak of green. There was actually a tiny porch, too, painted yellow, with big lumps of congealed[6] paint hanging along the edge.

But perfect, perfect little house! Who could possibly mind the smell. It was part of the joy, part of the newness.

"Open it quickly, someone!"

---

1. **Pat,** c'est Patrick Sheehan, le jardinier-vacher irlandais que Kass connut dans son enfance.

2. **feed-room :** dans *L'Aloès,* la paternité de ce terme est attribuée à Pat. C'est **"a huge barn of a place".**

3. **summer :** ce simple détail nous indique que nous ne sommes pas en Grande-Bretagne...

4. **of course :** le dénigrement — oh, sans intention blessante ! — des cadeaux offerts par des personnes de moindre condition sociale était (ou est) une tradition dans les maisons bourgeoises.

5. **green :** le *vert* de la maison est admirablement répugnant. Ainsi que les couleurs criardes qui l'accompagnent.

Quand cette chère vieille Mrs. Hay retourna en ville après son séjour chez les Burnell, elle envoya aux enfants une maison de poupée. Une maison si lourde que Pat et le charretier la transportèrent dans la cour, où d'ailleurs elle resta, en équilibre sur deux caisses de bois près de la porte du hangar à provisions. Elle ne risquait rien ; on était en été. Et peut-être l'odeur de la peinture aurait-elle disparu le moment venu de la remiser à l'intérieur. En effet, franchement, l'odeur de peinture qui se dégageait de cette maison de poupée («... Gentil, de la part de la vieille Mrs. Hay, bien sûr ; extrêmement gentil et généreux !... »), mais cette odeur de peinture était à vous rendre sérieusement malade n'importe qui, au dire de Tante Beryl. Avant même le retrait de la toile d'emballage. Alors, après...

Là trônait donc la maison de poupée, d'un vert épinard, foncé, huileux, rehaussé de jaune vif. Ses deux solides petites cheminées, collées sur le toit, étaient peintes en rouge et blanc, et la porte, luisante de vernis jaune, avait l'aspect d'une tablette de caramel. Quatre fenêtres, de vraies fenêtres, étaient divisées en carreaux par une large bande de vert. Il y avait même en plus une toute petite véranda, peinte en jaune, avec des gros pendouillis de peinture coagulée sur le bord.

Mais vraiment un bijou, un bijou de petite maison ! Qui pouvait décemment s'offusquer de l'odeur ? Elle faisait partie de la joie, partie de la nouveauté.

« Ouvrez-la vite, quelqu'un ! »

---

6. **congealed** : le verbe signifie bien *congeler ;* mais il s'emploie aussi pour signifier *se figer* (huile), *se coaguler* (sang).

The hook at the side was stuck fast. Pat prised[1] it open
with his penknife, and the whole house front swung back,
and—there you were, gazing at one and the same moment
into the drawing-room and[2] dining-room, the kitchen and
two bedrooms. That is the way for a house to open! Why
don't all houses open like that? How much more exciting
than peering through the slit of a door into a mean little
hall with a hat-stand[3] and two umbrellas! That is—isn't
it?—what you long[4] to know about a house when you put
your hand on the knocker. Perhaps it is the way God
opens houses at the dead of night when He is taking a
quiet turn with an angel[5]...

"Oh-oh!" The Burnell children sounded as though they
were in despair. It was too marvellous; it was too much
for them. They had never seen anything like it in their
lives. All the rooms were papered. There were pictures
on the walls, painted on the paper, with gold frames
complete. Red carpet covered all the floors except the
kitchen; red plush chairs in the drawing-room, green in the
dining-room; tables, beds with real bedclothes, a cradle, a
stove, a dresser with tiny plates and one big jug. But
what Kezia liked more than anything, what she liked
frightfully, was the lamp[6]. It stood in the middle of the
dining-room table, an exquisite little amber lamp with a
white globe.

---

1. **to prise**, ou **prize**: *évaluer, estimer* (subst.: *prix*); *capturer* (navire)
(subst.: *prise*); *soulever* à l'aide d'un levier (subst.: *force de levier*).

2. L'article est omis pour souligner que la vision est globale, que
salon et salle à manger sont perçus dans un même regard.

3. **hat-stand**: s'écrit aussi en un seul mot.

4. **I long to go to Egypt**: *je rêve de...*; **I long for his return**: *j'ai hâte
que...*

5. **angel**: phrase surprenante, hors de tout contexte, qui vient **"out of
the blue"**. Elle ne peut pas être considérée comme émanant des enfants,
Dieu et la religion tenant chez eux, ainsi que chez K.M., une place

Le crochet sur le côté était solidement planté. Pat le débloqua en faisant levier avec son canif, tout le devant de la maison se rabattit, et... voilà, on avait sous les yeux tout à la fois le salon, la salle à manger, la cuisine et les deux chambres. C'est comme ça, qu'une maison doit s'ouvrir ! Pourquoi toutes les maisons ne s'ouvrent-elles pas ainsi ? Cent fois plus palpitant que de plonger son regard, par l'entrebâillement d'une porte, dans un méchant petit vestibule avec un porte-chapeaux et deux parapluies ! Voilà, n'est-ce-pas, ce que vous mourez d'envie de savoir sur une maison, à l'instant où vous posez la main sur le heurtoir ? C'est peut-être ainsi que Dieu ouvre les maisons, au cœur de la nuit, quand il fait un tour, tranquillement, en compagnie d'un ange...

« Oh, oh ! » On aurait juré que les petites Burnell étaient au désespoir. C'était trop merveilleux ; c'était trop, pour elles. De leur vie, elles n'avaient jamais rien vu de semblable. Toutes les pièces étaient tapissées. Il y avait des tableaux sur les murs, peints à même le papier, sans oublier leurs cadres en or. Une moquette rouge recouvrait tous les sols, excepté dans la cuisine ; des chaises en peluche, rouge dans le salon, verte dans la salle à manger ; des tables, des lits avec de vrais draps et couvertures, un berceau, un poêle, un vaisselier avec de minuscules assiettes et une grosse cruche. Mais ce que Kezia aimait par-dessus tout, ce qu'elle aimait terriblement, c'était la lampe. Elle se dressait au milieu de la table de la salle à manger, exquise petite lampe d'ambre coiffée d'un globe blanc.

---

infime. Exceptionnelle complaisance d'un auteur généralement très perspicace et vigilant ?

6. **the lamp :** cette lampe va être la petite lumière conductrice de toute la nouvelle.

It was even filled all ready for lighting, though, of course, you couldn't light it. But there was something inside that looked like oil and moved when you shook it.

The father and mother dolls, who sprawled very stiff as though they had fainted in the drawing-room, and their two little children asleep upstairs, were really too big for the doll's house. They didn't look as though they belonged. But the lamp was perfect. It seemed to smile at Kezia[1], to say, "I live here." The lamp was real[2].

The Burnell[3] children could hardly walk to school fast enough the next morning. They burned to tell everybody, to describe, to—well—to boast about their doll's house before the school-bell rang.

"I'm to tell," said Isabel[4], "because I'm the eldest. And you two can join in after. But I'm to tell first."

There was nothing to answer. Isabel was bossy[5], but she was always right, and Lottie and Kezia knew too well the powers that went with being eldest. They brushed through the thick buttercups at the road edge and said nothing.

"And I'm to choose who's to come and see it first. Mother said I might."

For it had been arranged that while the doll's house stood in the courtyard they might ask the girls at school, two at a time, to come and look[6].

---

1. **Kezia** est un nom biblique ; c'est la deuxième fille de Job. La deuxième fille chez les Burnell, également, et la préférée de K.M. [Ki'zaiə].
2. **the lamp** : c'est Kezia, la différente, qui remarque la lampe et l'aime.
3. **Burnell** : K.M. a souvent puisé les patronymes dans sa propre famille. Harold Beauchamp avait épousé Annie Burnell Dyer, mère de Kass. (L'accent est sur la deuxième syllabe).
4. **Isabel** : la grand-mère chérie de K.M., Mrs Dyer, était née Margaret Isabella Mansfield.

Elle était même remplie, toute prête pour l'allumage, sauf que, bien sûr, on ne pouvait pas l'allumer. Mais il y avait quelque chose à l'intérieur qui ressemblait à du pétrole et qui remuait quand on secouait la lampe.

Le père et la mère poupées, affalés tout raides dans le salon, comme en proie à un évanouissement, ainsi que leurs deux petits enfants endormis, à l'étage, étaient réellement trop gros pour la maison de poupée. Ils n'avaient pas l'air à leur place. Mais la lampe était parfaite. Elle paraissait sourire à Kezia, et dire : « Je demeure ici. » La lampe était vraie.

Le lendemain matin, pour aller à l'école, les petites Burnell n'eurent pas trop de toute la vitesse de leurs jambes. Elles brûlaient de raconter à tout le monde, de faire des descriptions, de... bref, de fanfaronner à propos de leur maison de poupée, avant l'heure de la cloche.

« C'est à moi de raconter, dit Isabel, parce que je suis l'aînée. Après, vous pourrez faire chorus, vous deux. Mais je raconte d'abord. »

Il n'y avait rien à répondre. Isabel était autoritaire, mais elle avait toujours raison, et Lottie et Kezia n'ignoraient rien des pouvoirs inhérents à la qualité d'aînée. Sans un mot, elles poursuivirent leur marche légère au bord de la route à travers les épaisses touffes de boutons d'or.

« Et c'est à moi de choisir qui viendra la voir en premier. Maman a dit oui. »

On était convenu, en effet, que tant que la maison de poupée se trouvait dans la cour, elles pourraient inviter les filles de l'école, deux par deux, à venir la regarder.

---

5. **bossy** appartient au vocabulaire familier. C'est sans doute le vocable qu'emploient Lottie et Kezia.

6. L'anglais intercale **and** entre les deux verbes ; pas le français. **Go and fetch** : *va chercher.*

Not to stay to tea, of course[1], or to come traipsing[2] through the house. But just to stand quietly in the courtyard while Isabel pointed out the beauties, and Lottie and Kezia looked pleased...

But hurry as they might, by the time they had reached the tarred palings of the boys' playground the bell had begun to jangle[3]. They only just had time to whip off their hats and fall into line before the roll[4] was called. Never mind. Isabel tried to make up for it by looking very important and mysterious and by whispering behind her hand to the girls near her, "Got something to tell you at playtime."

Playtime came and Isabel was surrounded. The girls of her class nearly fought to put their arms round her, to walk away with her, to beam flatteringly, to be her special friend. She held quite a court[5] under the huge pine trees[6] at the side of the playground. Nudging, giggling together, the little girls pressed up close. And the only two who stayed outside the ring were the two who were always outside, the little Kelveys. They knew better than to come anywhere near the Burnells.

For the fact was, the school the Burnell children went to was not at all the kind of place their parents would have chosen if there had been any choice. But there was none. It was the only school for miles.

---

1. **of course**: il y a comme une nuance réprobatrice dans ce **of course**.

2. **to traipse** [treips]: verbe rare. **A traipse**: *une souillon.*

3. **a jangle**: *une querelle; jangled nerves: nerfs en pelote.* Un exemple de la grande richesse de l'anglais, surtout dans le domaine des perceptions sensorielles: en effet, il existe une différence entre **to jingle** *(tinter, carillonner)* et **to jangle** *(faire rendre des sons discordants).*

4. **the roll of honour**: *la liste de ceux qui sont morts pour la patrie.*

5. **The Queen is holding a court**: *il y a réception à la cour.*

Pas à goûter, naturellement, ni à se balader partout dans la maison. Mais simplement à rester sagement dans la cour pendant qu'Isabel attirerait l'attention sur les beautés, sous l'œil ravi de Lottie et de Kezia...

Mais elles eurent beau se dépêcher, elles en étaient encore à la palissade goudronnée de la cour des garçons que la cloche lançait déjà ses notes discordantes. Elles n'eurent que le temps d'enlever, vite fait, leurs chapeaux et de se mettre en rang avant l'appel. Tant pis. Isabel s'efforça de compenser en prenant des airs fort importants et mystérieux, et en faisant des messes basses, derrière sa main, à ses voisines : « Un truc à vous dire à la récré. »

La récréation arriva et Isabel fut assiégée. Les filles de sa classe faillirent se bagarrer à qui l'entourerait de son bras, l'entraînerait à l'écart, darderait le sourire le plus flatteur, serait son amie intime. Elle tint une vraie cour sous les immenses pins qui bordaient l'aire de récréation. Se poussant du coude, pouffant à qui mieux mieux, les fillettes se pressaient en un groupe compact. Et les deux seules qui restaient à l'extérieur du cercle, c'étaient toujours les deux mêmes, les petites Kelvey. Elles étaient bien trop avisées pour se frotter, tant soit peu, aux Burnell.

Le fait est, l'école fréquentée par les filles Burnell n'était pas du tout le genre d'établissement que leurs parents auraient choisi, s'il y avait eu le choix. Mais il n'y en avait aucun. C'était l'unique école à des miles à la ronde.

---

6. **pine tree** : sans doute le plus majestueux des arbres indigènes, *le pin kauri*, pouvant atteindre 40 m de haut et 7 m de circonférence, très bon producteur de résine et prisé pour la dureté de son bois. Ces arbres ont été victimes du déboisement sauvage effectué par les immigrants européens. La forêt néo-zélandaise est peu à peu reconstituée, mais avec des pins à croissance rapide, importés de Californie.

And the consequence was all the children of the neighbour-
hood, the Judge's little girls, the doctor's daughters, the
store-keeper's children, the milkman's, were forced to mix
together[1]. Not to speak of there being an equal number of
rude, rough little boys as well. But the line had[2] to be
drawn somewhere. It was drawn at the Kelveys. Many
of the children, including the Burnells, were not allowed
even to speak to them. They walked past the Kelveys with
their heads in the air, and as they set the fashion in all
matters of behaviour, the Kelveys were shunned by everybody. Even the teacher had a special voice for them, and
a special smile for the other children when Lil Kelvey came
up to her desk with a bunch of dreadfully common-looking
flowers[3].

They were the daughters of a spry[4], hard-working little
washerwoman, who went about from house to house by the
day. This was awful enough. But where was Mr. Kelvey? Nobody knew for certain. But everybody said he
was in prison. So they were the daughters of a washerwoman and a gaolbird[5]. Very nice company for other
people's children! And they looked it. Why Mrs. Kelvey
made them so conspicuous was hard to understand. The
truth was they were dressed in "bits" given to her by the
people for whom she worked. Lil, for instance, who was a
stout, plain child, with big freckles, came to school in a
dress made from a green art-serge tablecloth of the
Burnells', with red plush sleeves from the Logans' curtains.

---

1. **to mix together**: la liberté d'éducation et de vie dont bénéficient
les enfants, en comparaison de ceux de la "mère-patrie", s'explique en
partie par des contingences de ce type.
2. **the line**: K.M. ne mentionne même pas l'autre **"line"**, celle de
l'admission des enfants maori. Maata Mahupuku, riche héritière
maorie, qui devint l'amie de cœur de Kass, à l'école de Wellington, est
l'exception.
3. **common-looking**: voilà les malheureuses fleurs affligées des
"tares" des malheureuses Kelvey. Et que dire de la maîtresse qui, loin

Et le résultat, c'est que tous les enfants du voisinage, les fillettes du juge, les filles du docteur, les enfants du magasinier, ceux du laitier, étaient contraints de se mêler. Pour ne pas parler de la présence d'un nombre égal de petits garnements mal élevés. Pourtant il fallait bien fixer une limite. On l'établit aux Kelvey. Bon nombre d'élèves, dont les Burnell, n'étaient pas censés leur adresser la parole. Elles passaient devant les Kelvey, la tête au ciel, et comme ces petites lançaient toujours la mode en matière de comportement, tout le monde évitait les Kelvey. La maîtresse elle-même adoptait un ton de voix particulier pour elles, et un sourire particulier à l'adresse des autres enfants quand Lil Kelvey arrivait devant son bureau avec un bouquet de fleurs horriblement vulgaires.

C'étaient les filles d'une petite laveuse, vive et travailleuse, qui faisait des journées à domicile. Ça, c'était déjà assez affreux. Mais Mr. Kelvey, où était-il ? Personne ne le savait avec certitude. Mais tout le monde le disait en prison. Elles étaient donc les filles d'une laveuse et d'un gibier de potence. Fort jolie compagnie, pour les enfants des autres ! Et elles en avaient la dégaine. Pourquoi Mrs. Kelvey les mettait d'une façon si voyante, on avait du mal à le comprendre. En réalité, elles étaient attifées dans des « chutes » que ses employeurs donnaient à leur mère. Ainsi, Lil, grosse fille quelconque, pleine de larges taches de rousseur, venait à l'école vêtue d'une robe faite dans une nappe en serge verte, de chez les Burnell, avec des manches de peluche rouge taillées dans les rideaux des Logan.

de souligner la gentillesse du geste, fait démagogiquement un clin d'œil entendu aux autres élèves, rejetant les Kelvey dans les ténèbres de l'exclusion et du mépris ?

4. **spry** : Mrs. Kelvey est décrite plutôt agréablement... à ceci près qu'elle est laveuse.

5. **gaolbird** : ['dʒeil], comme **jail**. **Gaolbird = jailbird**.

Her hat, perched on top of her high forehead[1], was a grown-up woman's hat, once the property of Miss Lecky, the postmistress. It was turned up at the back and trimmed with a large scarlet quill[2]. What a little guy[3] she looked! It was impossible not to laugh. And her little sister, our Else[4], wore a long white dress, rather like a nightgown, and a pair of little boy's boots. But whatever our Else wore she would have looked strange. She was a tiny wishbone[5] of a child, with cropped hair and enormous solemn eyes—a little white owl. Nobody had ever seen her smile; she scarcely ever spoke. She went through life holding on to Lil, with a piece of Lil's skirt screwed up in her hand. Where Lil[6] went, our Else followed. In the playground, on the road going to and from school, there was Lil marching in front and our Else holding on behind. Only when she wanted anything, or when she was out of breath, our Else gave Lil a tug, a twitch, and Lil stopped and turned round. The Kelveys never failed to understand each other[7].

Now they hovered[8] at the edge; you couldn't stop them listening. When the little girls turned round and sneered, Lil, as usual, gave her silly, shamefaced smile, but our Else only looked[9].

And Isabel's voice, so very proud, went on telling. The carpet made a great sensation, but so did the beds with real bedclothes, and the stove with an oven door.

---

1. **forehead**: ['fɔrid]. Le 'h' ne se prononce pas.

2. **quill**: *forte plume* à tige rigide et barbes résistantes. Il y a une progression entre **feather** (terme générique), **plume** et **quill**.

3. **guy**: effigie burlesque de Guy Fawkes, le chef de la Conspiration des Poudres (1605); par extension: *épouvantail*.

4. **our Else**: la petite sœur est tellement dépendante de Lil qu'elle a besoin de ce **"our"** pour exister.

5. Le **wishbone** est cet os fragile du poulet — le *bréchet* — en forme de v, dont traditionnellement deux convives saisissent les extrémités en formulant un vœu; ils tirent chacun de son côté, l'os casse et c'est le "grosboutien" qui voit son vœu exaucé.

Son chapeau, juché au sommet de son grand front, était un chapeau de grande personne ; il avait appartenu naguère à Miss Lecky, la receveuse des postes. Il était relevé derrière et orné d'une grande penne écarlate. Un vrai petit épouvantail ! Impossible de ne pas rire. Et sa petite sœur, notre Else, portait une longue robe blanche, qui faisait penser à une chemise de nuit, et une paire de bottines pour garçonnet. Mais peu importait le vêtement, notre Else aurait toujours eu l'air étrange. C'était une petite chose rachitique, aux cheveux coupés ras, aux immenses yeux solennels — une petite chouette blanche. Nul ne l'avait jamais vue sourire ; elle ne parlait presque jamais. Elle passait dans la vie cramponnée à Lil, un coin de la jupe de Lil vissé dans sa main. Où allait Lil, suivait notre Else. Dans la cour de récréation, sur le chemin de l'école, Lil ouvrait toujours la marche, notre Else trottinait à sa suite. Simplement, lorsqu'elle voulait quelque chose, ou qu'elle était hors d'haleine, notre Else donnait à Lil une saccade, une petite secousse ; alors Lil s'arrêtait et se retournait. Les Kelvey se comprenaient infailliblement.

Pour l'instant, elles rôdaient aux abords ; on ne pouvait les empêcher d'écouter. Quand les fillettes, faisant volte-face, se mirent à lancer des lazzis, Lil déclencha, comme d'habitude, son sourire niais et penaud, mais notre Else regarda, bonnement.

Et la voix d'Isabel, si pleine de fierté, poursuivit la description. Le tapis fit grande sensation, mais également les lits garnis de vrais draps et couvertures, et le fourneau avec une porte de four.

---

6. **Lil** : la répétition du nom de Lil est intentionnelle.
7. **each other** : plutôt touchantes, ces infréquentables Kelvey.
8. **hover** : [ˈhɔvər].
9. **only looked** : l'auteur nous l'a dit : **"Our Else goes through life."** Son authenticité "primitive" lui permet, à l'inverse de sa sœur, de rester sourde aux moqueries et vexations.

When she finished Kezia broke in. "You're forgotten the lamp[1], Isabel."

"Oh yes," said Isabel, "and there's a teeny[2] little lamp, all made of yellow glass, with a white globe that stands on the dining-room table. You couldn't tell it from a real one."

"The lamp's best of all," cried Kezia. She thought Isabel wasn't making half enough of the little lamp. But nobody paid any attention[3]. Isabel was choosing the two who were to come back with them that afternoon and see it. She chose Emmie Cole and Lena Logan[4]. But when the others knew they were all to have a chance, they couldn't be nice enough to Isabel. One by one they put their arms round Isabel's waist and walked her off. They had something to whisper to her, a secret. "Isabel's *my* friend."

Only the little Kelveys moved away forgotten; there was nothing more for them to hear.

Days passed, and as more children saw the doll's house, the fame of it spread. It became the one subject, the rage. The one question was, "Have you seen Burnells' doll's house? Oh, ain't[5] it lovely!" "Haven't you seen it? Oh, I say!"

Even the dinner hour was given up to talking about it. The little girls sat under the pines eating their thick mutton[6] sandwiches and big slabs of johnny cake[7] spread with butter.

---

1. **the lamp** : la petite lampe-symbole.
2. **teeny** : souvent : **teeny-weeny**. Déformation familière ou enfantine de **tiny** [ai].
3. **attention** : excepté **our Else**, dont l'instinct la porte à écouter Kezia, qu'elle perçoit comme différente des autres.
4. Ce sont les deux préférées d'Isabel-la-chipie.
5. **ain't it** : familier ou archaïque pour **isn't it**.

Quand elle eut fini, Kezia intervint : « Tu as oublié la lampe, Isabel.

— Oh, oui, dit Isabel, il y a aussi une toute petite lampe, en verre jaune, avec un globe blanc, posée sur la table de la salle à manger. On jurerait une vraie.

— La lampe, c'est le mieux de tout », s'écria Kezia. Elle trouvait qu'Isabel ne faisait pas la moitié assez de plat de la petite lampe. Mais personne ne prêta la moindre attention. Isabel était en train de choisir les deux qui rentreraient avec elles cet après-midi-là pour voir la maison. Son choix se porta sur Emmie Cole et Lena Logan. Mais apprenant qu'elles auraient toutes leur chance, les autres firent assaut de gentillesse auprès d'Isabel. L'une après l'autre, elles la prirent par la taille et l'entraînèrent à l'écart. Elles avaient quelque chose à lui dire à l'oreille, un secret. « Isabel est mon amie. »

Seules, les petites Kelvey s'éloignèrent, oubliées. Elles n'avaient plus rien à entendre.

Les jours passaient, et plus la maison de poupée recevait de visites, plus sa renommée grandissait. On ne parlait plus que d'elle, elle faisait fureur. L'unique question : « Tu as vu la maison de poupée des Burnell ? Oh, elle est mignonne, hein ! Tu ne l'as pas vue ? Oh, pas possible ! »

Même l'heure du déjeuner se passait à parler d'elle. Les petites filles, installées sous les pins, mangeaient leurs épais sandwiches de mouton et leurs grosses tranches de galette de froment beurrées.

---

6. **mutton** : la Nouvelle-Zélande est grande productrice, et grande exportatrice, de viande de mouton, surtout vers l'Australie et les États pétroliers arabes.

7. **johnny cake** : galette de farine de froment en Australie, de farine de maïs aux États-Unis.

While always, as near as they could get, sat the Kelveys, our Else holding on to Lil, listening too, while they chewed their jam sandwiches[1] out of a newspaper soaked with large red blobs.

"Mother," said Kezia, "can't I ask the Kelveys just once?"

"Certainly not, Kezia."

"But why not[2]?"

"Run away, Kezia; you know quite well why not."

At last everybody had seen it except them. On that day the subject rather flagged[3]. It was the dinner hour. The children stood together under the pine trees, and suddenly, as they looked at the Kelveys eating out of their paper, always by themselves, always listening, they wanted to be horrid[4] to them. Emmie Cole started the whisper.

"Lil Kelvey's going to be a[5] servant when she grows up."

"O-oh, how awful!" said Isabel Burnell, and she made eyes at Emmie.

Emmie swallowed in a very meaning way and nodded to Isabel as she'd seen her mother do on those occasions.

"It's true—it's true—it's true," she said.

Then Lena Logan's[6] little eyes snapped. "Shall I ask her?" she whispered.

"Bet you don't," said Jessie May.

---

1. **jam :** ce simple détail marque une nuance sociale. Les Kelvey n'ont pas les moyens de s'offrir des tranches de mouton. Ces grosses taches, c'est la confiture qui a coulé.

2. **why not :** Kezia fait un peu de provocation. On peut toujours essayer...

3. **to flag :** *pavoiser*. Également : *pendre mollement* (chose), *s'alanguir* (personne), *traîner* (conversation). **The interest does not flag :** *ne se relâche pas.*

Et toujours, assises le plus près possible, les Kelvey étaient là, notre Else cramponnée à Lil, à écouter aussi, tout en mastiquant leurs sandwiches à la confiture extraits d'un journal imbibé de grosses taches rouges.

« Maman, dit Kezia, je ne peux pas inviter les Kelvey, juste une fois ?

— Certainement pas, Kezia.

— Mais pourquoi pas ?

— Allez, ouste, Kezia ; tu sais parfaitement pourquoi. »

À la fin, tout le monde l'avait vue, sauf elles. Un beau jour, le grand sujet de conversation retomba. C'était l'heure du déjeuner. Les enfants se tenaient groupées sous les pins, et soudain, à la vue des Kelvey en train de manger à même leur journal, toujours isolées, toujours l'oreille tendue, l'envie leur prit d'être odieuses avec elles. Emmie Cole lança la messe basse.

« Lil Kelvey va être domestique quand elle sera grande.

— Oh, quelle horreur ! » dit Isabel Burnell en faisant de l'œil à Emmie.

Emmie déglutit d'une manière très éloquente et fit un signe de tête à Isabel, comme elle l'avait vu faire à sa mère en pareille circonstance.

« C'est vrai, c'est vrai, c'est vrai », dit-elle.

Les petits yeux de Lena Logan cillèrent brusquement. « Je lui demande ? chuchota-t-elle.

— J'te parie que tu le fais pas, dit Jessie May.

---

4. **horrid** appartient au vocabulaire familier, ainsi que l'expression ; **to be horrid to s.o.** : *être méchant avec qqn.*

5. **a** : nous savons que devant les noms de métier, l'anglais utilise l'art. indéf., pas le français. **He is a singer** : *il est chanteur.*

6. Voici le trio à l'œuvre.

"Pooh, I'm not frightened," said Lena. Suddenly she gave a little squeal and danced in front of the other girls. "Watch! Watch me! Watch me now!" said Lena. And sliding, gliding, dragging one foot, giggling behind her hand, Lena went over[1] to the Kelveys.

Lil looked up from her dinner. She wrapped the rest quickly away[2]. Our Else stopped chewing. What was coming now[3]?

"Is it true you're going to be a servant when you grow up, Lil Kelvey?" shrilled Lena.

Dead silence. But instead of answering, Lil only gave her silly, shamefaced smile. She didn't seem to mind the question at all. What a sell[4] for Lena! The girls began to titter.

Lena couldn't stand that[5]. She put her hands on her hips; she shot forward. "Yah[6], yer[7] father's in prison!" she hissed spitefully[8].

This was such a marvellous thing to have said that the little girls rushed away in a body, deeply, deeply excited, wild with joy. Someone found a long rope, and they began skipping. And never did they skip so high, run in and out so fast, or do such daring things as on that morning[9].

In the afternoon Pat called for the Burnell children with the buggy and they drove home. There were visitors. Isabel and Lottie, who liked visitors, went upstairs to change their pinafores.

---

1. **went over**: danse propitiatoire, pour se donner du courage. Cela fait penser à la danse d'intimidation d'un animal.

2. **away**: geste frileux des nécessiteux.

3. **now**: cette fois, **our Else** ne se contente pas de regarder. Elle s'arrête de mâcher: la pression est plus forte que d'habitude.

4. **sell**: vocabulaire commercial. **Soft sell**: *promotion de vente discrète;* **hard sell**: *promotion de vente agressive.* Dans le langage familier: *déception, attrape-nigaud. Vente:* **sale.**

5. La fuite en avant.

— Ouais, je n'ai pas peur », dit Lena. Tout à coup, elle poussa un petit cri aigu et se mit à danser devant les autres. « Regardez ! Regardez-moi ! Regardez-moi ! » dit Lena. Glissades, pas feutrés, traînements de pied, gloussements sous cape amenèrent Lena tout près des Kelvey.

Lil leva les yeux de sur son déjeuner. Elle en empaqueta promptement le reste. Notre Else s'arrêta de mâcher. Qu'est-ce qui se préparait ?

« C'est vrai, que tu vas être domestique quand tu seras grande, Lil Kelvey ? » cria Lena d'une voix perçante.

Silence de mort. Mais au lieu de répondre, Lil se contenta de son sourire niais et penaud. Elle n'avait pas l'air du tout dérangée par la question. Quelle sale blague, pour Lena. Les filles commencèrent à glousser.

C'en était trop pour Lena. Elle mit ses mains sur ses hanches ; elle s'élança : « Beuh, vot' père est en prison », siffla-t-elle avec venin.

C'était si fantastique, d'avoir dit ça, que les petites filles s'enfuirent en masse, dans un état d'excitation extrême, folles de joie. L'une d'elles trouva une longue corde et elles se mirent à sauter. Et jamais elles n'avaient sauté si haut, n'étaient entrées dans la corde ni sorties si vite, n'avaient manifesté autant de hardiesse que ce matin-là.

L'après-midi, Pat vint chercher les petites Burnell avec le boghei et les ramena à la maison. Il y avait de la visite. Isabel et Lottie, qui aimaient les visites, montèrent changer de tablier.

---

6. **yah** [ja:] : exprime plutôt le dégoût, la dérision. **Yeah** [jɛə] = *oui, ah bon ?*

7. **yer** = **your** : plutôt vulgaire.

8. **she hissed spitefully** : modeste allitération en **sh, s** ; bien venue.

9. **morning** : l'audace de Lena Logan a donné un coup de fouet au groupe.

But Kezia thieved[1] out at the back. Nobody was about; she began to swing on the big white gates of the courtyard. Presently, looking along the road, she saw two little dots. They grew bigger, they were coming towards her. Now she could see that one was in front and one close behind. Now she could see that they were the Kelveys. Kezia stopped swinging. She slipped off the gate as if she was going to run away[2]. Then she hesitated. The Kelveys came nearer, and beside them walked their shadows, very long, stretching right across the road with their heads in the buttercups. Kezia clambered back on the gate; she had made up her mind; she swung out.

"Hullo[3]," she said to the passing Kelveys.

They were so astounded that they stopped. Lil gave her silly smile. Our Else stared[4].

"You can come and see our doll's house if you want to," said Kezia, and she dragged one toe[5] on the ground. But at that Lil turned red and shook her head quickly.

"Why not?" asked Kezia.

Lil gasped, then she said, "Your ma told our ma you wasn't to speak to us[6]."

"Oh, well," said Kezia. She didn't know what to reply. "It doesn't matter. You can come and see our doll's house all the same. Come on. Nobody's looking."

But Lil shook her head still harder.

"Don't you want to?" asked Kezia.

---

1. **thief, thieves**: *voleur*. On a une certaine liberté de manœuvre dans la famille.

2. Un petit combat intérieur, dont l'esprit de désobéissance sortira vainqueur, traduit par des gestes.

3. **Hullo, hello,** ou **hallo.**

4. **stared**: **our Else** est intriguée : **she stares.** C'est une situation inhabituelle, qu'on les interpelle gentiment.

Mais Kezia s'esquiva par la porte de derrière comme une voleuse. Personne dans les parages ; elle entreprit de se balancer sur le grand portail blanc de la cour. Bientôt, les yeux sur la route, elle aperçut deux petits points. Ils grossissaient, ils approchaient. Elle vit alors que l'un allait devant, suivi de près par l'autre. Elle reconnut ensuite les Kelvey. Kezia cessa de se balancer. Elle se laissa glisser du portail, comme si elle allait s'enfuir. Puis elle hésita. Les Kelvey approchaient, cotoyées par leurs ombres, très longues, s'étirant sur toute la largeur de la route, la tête dans les boutons d'or. Kezia se hissa de nouveau sur le portail ; elle avait pris sa décision ; elle fit balancer la grille vers l'extérieur.

« Salut », dit-elle aux Kelvey au moment où elles passaient.

Elles furent tellement sidérées qu'elles s'arrêtèrent. Lil y alla de son sourire niais. Notre Else écarquilla les yeux.

« Vous pouvez venir voir notre maison de poupée, si vous voulez », dit Kezia en raclant le sol du bout d'un orteil. À ces mots, Lil devint toute rouge et hocha vivement la tête.

« Pourquoi pas ? » demanda Kezia.

Le souffle coupé, Lil dit ensuite : « Vot' maman, elle a dit à not' maman que faut pas que vous nous parlez.

— Oh, enfin », dit Kezia. Elle ne savait que répondre. « Ça ne fait rien. Vous pouvez quand même venir voir notre maison de poupée. Allez, venez. Personne ne regarde. »

Mais Lil hocha la tête encore plus fort.

« Tu ne veux pas ? » demanda Kezia.

---

5. **toe** : un peu gênée...

6. **... to speak to us** : bien sûr, l'unique phrase prononcée par Lil est truffée de vulgarismes.

Suddenly there was a twitch, a tug at Lil's skirt. She turned round. Our Else was looking at her with big, imploring eyes; she was frowning; she wanted to go. For a moment Lil looked at our Else very doubtfully. But then our Else twitched her skirt again[1]. She started forward. Kezia led the way. Like two little stray[2] cats they followed across the courtyard to where the doll's house stood.

"There it is," said Kezia.

There was a pause. Lil breathed loudly, almost snorted; our Else was still as stone.

"I'll open it for you," said Kezia kindly. She undid the hook and they looked inside.

"There's the drawing-room and the dining-room, and that's the—"

"Kezia[3]!"

Oh, what a start they gave!

"Kezia!"

It was Aunt Beryl's voice. They turned round. At the back door stood Aunt Beryl, staring as if she couldn't believe what she saw.

"How dare you ask the little Kelveys into the courtyard!" said her cold, furious voice. "You know as well as I do, you're not allowed to talk to them. Run away, children, run away at once. And don't come back again," said Aunt Beryl. And she stepped into the yard and shooed[4] them out as if they were chickens.

"Off you go immediately!" she called, cold and proud.

---

1. **again**: l'intervention surprenante de **our Else** a été préparée. Quand la petite sœur demande, Lil obtempère toujours. **Our Else** a la force de la conduite instinctive.

2. **stray**: **waifs and strays**: *enfants abandonnés.*

3. **Kezia**: les rebuffades, les réprimandes, viennent en général de tante Beryl (cf. *L'Aloès*, *"At the Bay"*). Elles sont souvent le reflet de sa situation intérieure conflictuelle.

Une brusque saccade, une secousse à la jupe de Lil. Elle se retourne. Notre Else la regardait, avec de gros yeux suppliants ; elle fronçait le sourcil ; elle voulait y aller. L'espace d'un instant, Lil considéra notre Else d'un air de grand doute. Mais notre Else lui tiraillait de nouveau la jupe. Lil se lança en avant. Kezia montra le chemin. Comme deux petits chats errants, elles traversèrent la cour à sa suite, jusqu'à l'endroit où se dressait la maison de poupée.

« La voilà », dit Kezia.

Il y eut un temps d'arrêt. Lil eut une respiration bruyante, presque un ébrouement. Notre Else resta pétrifiée.

« Je vais vous l'ouvrir », dit Kezia gentiment. Elle défit le crochet, et leurs regards plongèrent à l'intérieur.

« Voilà le salon et la salle à manger. Et voilà la...

— Kezia ! »

Oh, comme elles sursautèrent !

« Kezia ! »

C'était la voix de Tante Beryl. Elles firent volte-face. À la porte de derrière, Tante Beryl était là, plantée, regardant de tous ses yeux comme si elle ne pouvait croire ce qu'elle voyait.

« Comment oses-tu amener les petites Kelvey dans la cour ? » Sa voix était glaciale et furieuse. « Tu le sais aussi bien que moi, tu n'as pas le droit de leur parler. Sauvez-vous, enfants, sauvez-vous immédiatement. Et ne revenez plus », dit Tante Beryl. Et s'avançant dans la cour, elle les chassa comme des poulets.

« Filez immédiatement ! » lança-t-elle, glaciale et arrogante.

---

4. **Shoo :** ch-ch ! Substantif et verbe onomatopéiques, dont la langue anglaise est si prodigue.

They did not need telling twice. Burning with shame, shrinking together, Lil huddling along like her mother, our Else dazed, somehow they crossed the big courtyard and squeezed through the white gate.

"Wicked, disobedient little girl[1]!" said Aunt Beryl bitterly to Kezia, and she slammed the doll's house to.

The afternoon had been awful. A letter had come from Willie Brent, a terrifying, threatening letter, saying if she did not meet him that evening in Pulman's Bush, he'd come to the front door and ask the reason why[2]! But now that she had frightened those little rats[3] of Kelveys and given Kezia a good scolding, her heart felt lighter. That ghastly pressure was gone. She went back to the house humming.

When the Kelveys were well out of sight of Burnells', they sat down to rest[4] on a big red drainpipe by the side of the road. Lil's cheeks were still burning; she took off the hat with the quill and held it on her knee. Dreamily they looked over the hay paddocks, past the creek, to the group of wattles[5] where Logan's cows stood waiting to be milked. What were their thoughts?

Presently our Else nudged up close to her sister. But now she had forgotten the cross lady[6]. She put out a finger and stroked her sister's quill; she smiled her rare smile.

"I seen[7] the little lamp[8]," she said softly.

Then both were silent once more.

---

1. ... **little girl!**: après l'invective aux Kelvey, l'algarade à Kezia. C'est cinglant.

2. **the reason why**: l'auteur se glisse sans ostentation dans toutes les consciences; sans porter de jugement, elle donne à comprendre.

3. **rats**: en quelques lignes, les Kelvey ont été comparées à des chats, des poulets, des rats.

4. **to rest**: ... de leur course folle.

5. **wattle**: c'est un *acacia* d'Australie.

6. **the cross lady**: Lil a encore les joues brûlantes, mais **our Else** a déjà évacué la dame en colère; elle est tellement contente...

Elles ne se le firent pas dire deux fois. Brûlantes de honte, se ratatinant l'une contre l'autre, Lil avançant toute recroquevillée comme sa mère, notre Else hébétée, elles parvinrent à traverser la grande cour et à se faufiler par le portail blanc.

« Vilaine petite fille désobéissante ! » dit Tante Beryl à Kezia sur un ton plein d'amertume, en refermant violemment la maison de poupée.

L'après-midi avait été épouvantable. Elle avait reçu une lettre de Willie Brent, terrifiante, menaçante, disant que si elle ne venait pas le retrouver le soir même à Pulman's Bush, il se présenterait à la porte d'entrée pour en demander la raison ! Mais maintenant qu'elle avait fait peur à ces petites morveuses de Kelvey, et bien grondé Kezia, elle se sentait le cœur plus léger. Cette horrible tension avait disparu. Elle rentra dans la maison en fredonnant.

Une fois largement hors de vue de la maison Burnell, les Kelvey s'assirent pour se reposer sur un gros tuyau de drainage au bord de la route. Lil avait encore le feu aux joues ; elle ôta le fameux chapeau avec la penne et le posa sur son genou. Rêveusement, leurs regards erraient sur les enclos d'herbage, au-delà du ruisseau, jusqu'au bosquet d'acacias où les vaches de Logan attendaient l'heure de la traite. Et leurs pensées ?

Notre Else vint se blottir tout contre sa sœur. Mais elle avait déjà oublié la dame en colère. Elle avança un doigt et caressa la plume du chapeau ; elle sourit, de son sourire si rare.

« Je l'ai vue, la 'tite lampe », dit-elle doucement.

Et de nouveau, elles se turent.

---

7. **I seen** : avec une faute de syntaxe.

8. **lamp** : Tante Beryl avait fait irruption juste au moment où Kezia allait parler de la lampe. Mais déjà **our** Else l'avait vue ; elle ne pensait qu'à ça, depuis que Kezia en avait parlé à l'école.

THIS FLOWER

CETTE FLEUR

"But I tell you, my lord fool, out of this nettle, danger, we pluck this flower, safety[1]."

As[2] she lay there, looking up at the ceiling, she had her moment—yes, she had her moment! And it was not connected with anything she had thought or felt before, not even with those words the doctor had scarcely ceased speaking. It was single, glowing, perfect; it was like—a pearl, too flawless to match with another... Could she describe what happened? Impossible. It was as though, even if she had not been conscious (and she certainly had not been conscious all the time) that she was fighting against the stream of life—the stream of life indeed[3]!—she had suddenly ceased to struggle. Oh, more than that! She had yielded, yielded[4] absolutely, down to every minutest pulse and nerve, and she had fallen into the bright bosom[5] of the stream and it had borne her... She was part of her room—part of the great bouquet[6] of southern anemones[7], of the white net curtains that blew in stiff against the light breeze, of the mirrors, the white silky rugs; she was part of the high, shaking, quivering clamour, broken with little bells and crying voices that went streaming by outside—part of the leaves and the light[8].

Over[9]. She sat up. The doctor had reappeared.

---

1. Shakespeare.

2. Un paragraphe comme celui-ci, rendu banal à force d'imitations, constituait une nouveauté dans les lettres, un effort pour rendre the **stream of consciousness** dans ses moindres nuances.

3. **indeed**: de dérision. Ce **stream of life,** chez un malade, c'est grinçant.

4. **yielded**: K.M., atteinte de tuberculose (diagnostiquée trop tard), n'a cessé, au gré des crises et des rémissions, de passer d'une période fébrile de lutte à une période d'abandon total, de découragement léthal.

5. L'allitération en **b** est tonique. Sa déliquescence se ressource sans effort dans ce **bright bosom** qui, pour un temps, la porte.

« *Mais je vous le dis, Monsieur le bouffon, sur cette ortie, le danger, nous cueillons cette fleur, la sécurité.* »

Étendue là, les yeux au plafond, elle goûtait son moment — oui, elle savourait son moment ! Sans le moindre lien avec telle de ses pensées ou de ses sensations antérieures, ni même avec ces paroles que le docteur venait à peine de prononcer. Unique, rayonnant, idéal ; semblable à... une perle, trop parfaite pour s'assortir à une autre. Pouvait-elle décrire ce qui était arrivé ? Impossible. On aurait dit, même si elle n'avait pas eu conscience (et cette conscience lui avait certainement échappé par moments) de lutter contre le courant de la vie — le courant de la vie, ah, bien oui ! —, qu'elle avait brusquement cessé de se battre. Oh, mieux que ça ! Elle s'était rendue, rendue absolument, jusqu'à la plus infime pulsation, au plus ténu des nerfs, elle s'était immergée dans le sein scintillant du courant, et il l'avait portée... Elle faisait partie intégrante de sa chambre — partie du grand bouquet d'anémones australes, des voilages blancs qui se démenaient contre la brise légère, des miroirs, des soyeuses couvertures blanches ; elle faisait partie de l'immense clameur, palpitante, frémissante, entrecoupée de petites cloches et d'appels à haute voix, qui roulait son flot dehors — partie des feuilles et de la lumière.

Fini. Elle se redressa. Le docteur était là, de nouveau.

---

6. **bouquet :** [bu'kei] : un effort pour garder la prononciation d'origine. Le terme désigne un *grand bouquet composé*. Plus banal et passe-partout : **bunch (of flowers)**.

7. **anemone :** [ə'neməni].

8. **light :** grande impression de légèreté, sensation aérienne (en contraste avec les pesanteurs de la maladie). Elle vogue parmi les fleurs, la brise, l'air et les sons qu'il véhicule, la lumière.

9. **over :** le retour au réel est brutal. **Over** est sans appel.

This strange little figure with his stethoscope still strung round his neck—for she had asked him to examine her heart—squeezing and kneading[1] his freshly washed hands, had told her...

It was the first time she had ever seen him. Roy[2], unable, of course, to miss the smallest dramatic opportunity, had obtained his rather shady Bloomsbury[3] address from the man in whom he always confided everything, who, although he'd never met her, knew "all about them."

"My darling," Roy had said, "we'd better have an absolutely unknown man just in case it's—well, what we don't either of us want it to be[4]. One can't be too careful in affairs of this sort. Doctors *do* talk. It's all damned rot[5] to say they don't." Then, "Not that I care a straw[6] who on earth knows. Not that I wouldn't—if you'd have me—blazon it on the skies, or take the front page of the *Daily Mirror* and have our two names on it, in a heart, you know—pierced by an arrow[7]."

Nevertheless, of course[8], his love of mystery and intrigue[9], his passion for "keeping our secret beautifully" (his phrase[10]!) had won the day, and off he'd gone in a taxi to fetch this rather sodden-looking little man.

She heard her untroubled voice saying, "Do you mind not mentioning anything of this to Mr. King?

---

1. **kneading**: comme habituellement, le **k** initial ne se prononce pas.

2. **Roy**: on saura le nom de l'époux : Roy King. Mais elle, reste : **She**, jusqu'à la fin.

3. **Bloomsbury Group**: avant-garde politico-littéraire du début du siècle.

4. **...to be**: il ne faut pas tenter le diable en prononçant le nom de la maladie. Et puis, on vient de nous prévenir, Roy adore nager dans le drame.

5. **rot**: langage familier.

6. **I don't care a straw, a fig, a damn, two hoots**... les variantes abondent.

Ce drôle de petit personnage, avec son stéthoscope encore suspendu autour du cou (elle lui avait demandé, en effet, de lui examiner le cœur), en train de s'étreindre et de se pétrir les mains, lavées de frais, lui avait dit...

C'était la première fois qu'elle le voyait. Roy, évidemment incapable de résister à la moindre occasion de dramatisation, s'était procuré son adresse, quelque peu douteuse, à Bloomsbury, auprès de l'homme à qui il confiait toujours tout, celui qui, ne l'ayant jamais rencontrée, savait pourtant "tout d'eux".

« Ma chérie, avait dit Roy, mieux vaut faire appel à un parfait inconnu, pour le cas où ce serait... enfin, ce que ni toi ni moi ne voulons que ce soit. On n'est jamais trop prudent dans des affaires de ce genre. Les médecins, ça parle. C'est vraiment de la foutaise, de prétendre le contraire. » Ensuite : « Non que je ne me contrefiche de savoir tel ou tel au courant. Non que je ne sois prêt — si tu le souhaitais — à blasonner la nouvelle sur les cieux, ou à m'emparer de la une du *Daily Mirror* pour y apposer nos deux noms, dans un cœur, tu sais bien — percé d'une flèche. »

Malgré tout, cela va sans dire, son amour du mystère et de l'intrigue, la passion qu'il manifestait de « garder magnifiquement notre secret » (son expression !) l'avaient emporté, et il avait filé en taxi pour ramener ce petit homme passablement imbibé.

Elle s'entendit dire d'une voix paisible : « Cela ne vous fait rien de ne pas en souffler un mot à Mr. King ?

---

7. **arrow :** Roy, comme Ralph dans *Revelations*, est affligé d'une tendance à l'hyperbole.

8. La répétition de **of course** met en évidence la lucidité de l'analyste, qui ne s'en laisse pas conter par les discours de Roy.

9. **intrigue :** [in'tri : g].

10. **phrase :** *expression, tournure ;* **sentence :** *phrase.*

If you'd tell him that I'm a little run down and that my heart wants a rest. For I've been complaining about my heart[1]."

Roy had been really *too* right about the kind of man the doctor was. He gave her a strange, quick, leering[2] look, and taking off the[3] stethoscope with shaking[4] fingers he folded it into his bag that looked somehow like a broken old canvas shoe.

"Don't you[5] worry, my dear," he said huskily. "I'll see you through."

Odious little toad[6] to have asked a favour of! She sprang to her feet, and picking up her purple cloth jacket, went over to the mirror. There was a soft knock at the door, and Roy—he really did[7] look pale, smiling his half-smile—came in and asked the doctor what he had to say.

"Well," said the doctor, taking up his hat, holding it against his chest and beating a tattoo[8] on it, "all I've got to say is that Mrs.—h'm—Madam[9] wants a bit of a rest. She's a bit run down. Her heart's a bit[10] strained. Nothing else wrong."

In the street a barrel-organ struck up something gay, laughing, mocking, gushing, with little trills, shakes, jumbles of notes.

> That's *all* I got to say, to say,
> That's all I got to say, to say,

it mocked.

---

1. **my heart:** plutôt cardiaque que tuberculeuse...
2. **to leer:** *reluquer:* to leer a souvent une connotation visqueuse ou lubrique.
3. **stethoscope:** cet instrument, si en évidence autour du cou du docteur dans la scène précédente, et qui symbolise le diagnostic posé en réalité, n'a désormais plus sa raison d'être.
4. **shaking...** parce que le bonhomme est ravagé par l'alcool.
5. **you:** familier.
6. **toad:** le docteur douteux, habitué à être « arrangeant », est devenu son complice; elle le rejette avec dégoût.

Si vous pouviez lui dire que je suis un peu à plat et que mon cœur a besoin de repos. En effet, je me suis plainte de mon cœur. »

Vraiment, Roy n'avait eu que trop raison sur le genre d'homme qu'était ce docteur. Il la lorgna, vite fait, d'un bizarre coup d'œil ; il retira le stéthoscope, de ses doigts tremblotants ; il le plia et le fourra dans son sac qui avait un peu l'allure d'une vieille espadrille éculée.

« Ne vous en faites pas, ma chère, dit-il d'une voix rauque. Je vous tirerai de là. »

Odieux petit crapaud à qui avoir demandé service ! Elle se leva d'un bond et, ramassant sa jaquette de toile violette, elle alla jusqu'au miroir. On frappa doucement à la porte, et Roy — l'air franchement blême, souriant de son demi-sourire — entra et demanda au docteur ce qu'il avait à dire.

« Eh bien, dit le docteur en prenant son chapeau, le tenant contre sa poitrine et tambourinant dessus, tout ce que je peux dire, c'est que Mme — heu, enfin — madame a besoin d'un peu de repos. Elle est un peu surmenée. Son cœur est un peu à plat. Rien d'autre qui cloche. »

Dans la rue, un orgue de barbarie se mit à jouer un air gai, rieur, moqueur, entraînant, avec des petits trilles, trémolos, fioritures de notes.

> *C'est tout c'que j'ai à dire, à dire,*
> *C'est tout c'que j'ai à dire,*

raillait-il.

---

7. **did** : auxiliaire d'emphase.

8. **tattoo** : *tatouage*. En vocabulaire militaire : *retraite du soir*. To beat, to sound the tattoo.

9. **Madam** : ou bien il n'a même pas retenu le nom de sa patiente, ou bien il la soupçonne de vivre en concubinage avec Mr. King. C'est bien un crapaud.

10. **a bit** : répété ainsi trois fois, minimise à souhait.

It sounded so near she wouldn't have been surprised if the doctor were turning the handle.

She saw Roy's smile deepen; his eyes took fire. He gave a little "Ah!" of relief and happiness. And just for one moment he allowed himself to gaze[1] at her without caring a jot[2] whether the doctor saw or not, drinking her up[3] with that gaze she knew so well, as she stood tying the pale ribbons of her camisole[4] and drawing on the little purple cloth jacket[5]. He jerked back to the doctor, "She shall go away. She shall[6] go away to the sea at once," said he, and then, terribly anxious, "What about her food?" At that, buttoning her jacket in the long mirror, she couldn't help laughing at him.

"That's all very well," he protested, laughing back delightfully at her and at the doctor. "But if I didn't manage her food, doctor, she'd never eat anything but caviare[7] sandwiches and—and white grapes. About wine—oughtn't she to have wine?"

Wine would do her no harm.

"Champagne[8]," pleaded Roy. How he was enjoying himself!

"Oh, as much champagne[9] as she likes," said the doctor, "and a brandy and soda with her lunch if she fancies it."

Roy loved that; it tickled him immensely.

---

1. **to gaze (at, on),** de même que **to stare,** est plus intense que **to look.**

2. **I don't care a jot :** un équivalent de plus des expressions citées plus haut. **A jot :** *un iota.*

3. **to drink up :** *achever de boire, vider un verre.* Ici, c'est l'équivalent de : **to drink in ;** cf. l'expression : **he drank it all in :** *il n'en perdit pas une goutte, une miette.*

4. La **camisole** était un corsage droit, sans ceinture et sans taille marquée, porté sur une jupe ample et froncée à la taille.

5. **a potato cooked in its jacket :** *une pomme de terre en robe des champs* (de chambre).

6. **shall :** auxiliaire d'insistance. Normalement : **she will go away.**

7. **caviare :** ['kaevia :r], s'écrit **caviar,** ou **caviare.**

Il semblait si proche qu'elle n'aurait pas été surprise de voir le docteur en actionner la manivelle.

Elle vit s'affirmer le sourire de Roy ; ses yeux, s'enflammer. Il poussa un petit « Ah ! » de soulagement et de bonheur. Et l'espace d'un bref instant, il s'autorisa à la contempler sans se préoccuper le moins du monde de la présence ou non du docteur, la buvant des yeux avec cette fixité qu'elle connaissait si bien, tandis qu'elle était là à nouer les pâles rubans de sa camisole et à enfiler la petite jaquette de toile violette. Il revint brusquement vers le docteur. « Elle partira, j'en réponds. Elle partira à la mer, sans délai » ; et il ajouta sur un ton de terrible angoisse : « Et pour la nourriture ? » À ces mots, occupée à boutonner sa jaquette devant le haut miroir, elle ne put s'empêcher de rire de lui.

« Tout ça, c'est très bien, protesta-t-il en lui retournant, ainsi qu'au docteur, un délicieux sourire, mais si je ne prenais pas en main son alimentation, docteur, elle ne mangerait jamais rien d'autre que des sandwiches au caviar et... et des raisins blancs. Quant au vin... Ne devrait-elle pas boire du vin ? »

Le vin ne lui ferait aucun mal.

« Du champagne », plaida Roy. Comme il se donnait du bon temps !

« Oh, autant de champagne qu'elle veut, dit le docteur, et de la fine à l'eau au déjeuner, si le cœur lui en dit. »

Roy était enchanté ; il était aux anges.

---

8. **champagne** : ce sont quelques-uns des « must » de la vie pétillante et facile. Cette évocation réjouit Roy à la mesure de son inquiétude passée.

9. **champagne** : [ʃaem'pein]. Il est notoire que dans les sanatoriums huppés, le champagne coulait facilement.

"Do you hear that?" he asked solemnly, blinking and sucking in his cheeks to keep from laughing. "Do you fancy a brandy and soda?"

And, in the distance, faint and exhausted[1], the barrel-organ:

> A brandy and so-da,
> A brandy and soda, please!
> A brandy and soda, please!

The doctor seemed to hear that, too. He shook hands with her, and Roy went with him into the passage to settle his fee.

She heard the front door close and then—rapid, rapid steps along the passage. This time he simply burst into her room, and she was in his arms, crushed up small while he kissed her with warm quick kisses, murmuring between them, "My darling, my beauty, my delight. You're mine[2], you're safe." And then three soft groans. "Oh! Oh! Oh! the relief!" Still keeping his arms round her he leant his head against her shoulder as though exhausted. "If you knew how frightened I've been," he murmured. "I thought we were in for it this time. I really did. And it would have been so—fatal—so fatal[3]!"

1919[4]

---

1. **exhausted** : le son de l'orgue de barbarie a changé. C'est la seule indication que nous donne l'auteur de l'état d'âme de **She,** sur la tristesse qui l'envahit, elle qui sait que **this flower, safety** n'est qu'illusion.

2. **mine** : tous ces possessifs sont des crève-cœurs. Elle n'est plus à lui, elle est à la tuberculose.

3. **fatal** : la fin de la scène appartient à Roy, au mensonge. « Elle » ne dit plus rien, et le dernier mot est lourd de sens.

4. **1919** : quatre ans plus tard, le 9 janvier 1923, K.M. mourra de tuberculose.

200

« Tu entends ça ? », demanda-t-il sur un ton solennel, en clignant des yeux et en suçant l'intérieur de ses joues pour se garder de rire. « Ça te dit, la fine à l'eau ? »

Et dans le lointain, épuisé, à bout de souffle, l'orgue de barbarie :

> *Une fine à l'eau-eau,*
> *Une fine à l'eau, s'il vous plaît !*
> *Une fine à l'eau, s'il vous plaît !*

Le docteur eut l'air de l'entendre, lui aussi. Il lui serra la main, et Roy l'accompagna dans le couloir pour régler ses honoraires.

Elle entendit la porte d'entrée se fermer, puis, des pas rapides, très rapides, le long du couloir. Cette fois-ci, il fit tout simplement une entrée en trombe dans sa chambre, elle se précipita dans ses bras, toute pelotonnée pendant qu'il la couvrait de mille baisers ardents, entrecoupés de murmures : « Ma chérie, ma beauté, ma joie. Tu es mienne, tu es sauve. » Puis, trois gémissements ouatés : « Oh ! Oh ! Oh ! Le soulagement ! » Ses bras la maintenant enlacée, il appuya la tête contre son épaule, dans une attitude d'épuisement. « Si tu savais comme j'ai eu peur, chuchota-t-il. J'ai cru qu'on y avait droit, cette fois-ci. J'y ai cru vraiment. Ça aurait été si... fatal... si fatal. »

1919

REVELATIONS

RÉVÉLATIONS

From eight o'clock in the morning until about half-past eleven Monica Tyrell suffered from her nerves, and suffered so terribly that these hours were—agonising[1], simply. It was not as though she could control them. "Perhaps if I were ten years younger..." she would say. For now that she was thirty-three she had a queer little way of referring to her age on all occasions, of looking at her friends with grave, childish eyes and saying: "Yes, I remember how twenty years ago..." or of drawing Ralph's attention to the girls—real girls—with lovely youthful arms and throats and swift hesitating movements who sat near them in restaurants. "Perhaps if I were ten years younger..."

"Why don't you get Marie[2] to sit outside your door and absolutely forbid anybody to come near your room until you ring your bell?"

"Oh, if it were as simple as that!" She threw her little gloves down and pressed her eyelids with her fingers in the way he knew so well. "But in the first place I'd be so conscious of Marie sitting there, Marie shaking her finger at Rudd[3] and Mrs. Moon, Marie[4] as a kind of cross[5] between a wardress[6] and a nurse for mental[7] cases! And then, there's the post. One can't get over the fact that the post[8] comes, and once it has come, who—who—could wait until eleven for the letters?"

---

1. **agonising**: l'expression appartient au langage familier: **it is simply agonizing** (ou: **agonising**): *c'est à vous rendre fou*. L'anglais ne risque pas de faire la confusion entre *agonir* et *agoniser* (**to revile** v. **to be dying**. Cf. *As I lay dying*, Faulkner). **To agonize**: *torturer, mettre au supplice*.
2. **Marie,** la traditionnelle bonne (ou « mademoiselle ») française — bretonne.
3. **Rudd** est un nom de poisson: *gardon rouge*.
4. **Marie**: l'obsession de la présence —même invisible— de Marie est bien rendue par la répétition.
5. **cross**: *croix;* et en termes d'élevage, *croisement, métis* (adj.: **crossbred**).

Depuis huit heures, le matin, jusqu'aux environs de onze heures et demie, Monica Tyrell souffrait des nerfs, et souffrait si terriblement que ces heures-là étaient... un véritable supplice. Ce n'était pas comme si elle avait pu maîtriser ses nerfs. « Peut-être, si j'avais dix ans de moins... » avait-elle coutume de dire. En effet, depuis qu'elle en avait trente-trois, elle avait la curieuse petite manie de mentionner son âge à tout bout de champ, de lancer, en regardant ses amies d'un œil grave et naïf : «Oui, je me souviens, il y a vingt ans... » ou encore d'attirer l'attention de Ralph sur les jeunes filles — des vraies — aux bras et à la gorge juvéniles et ravissants, aux gestes rapides et hésitants, qui avaient pris place à côté d'eux au restaurant. « Peut-être, si j'avais dix ans de moins...

— Pourquoi ne fais-tu pas monter la garde à Marie derrière ta porte, avec interdiction absolue à quiconque d'approcher de ta chambre avant que tu aies sonné ?

— Oh, si c'était aussi simple que ça ! » Elle jeta ses petits gants devant elle et eut ce geste qu'il connaissait si bien, de presser les doigts contre ses paupières. « Mais d'abord, j'aurais une telle conscience de la présence de Marie, assise là, de Marie menaçant du doigt Rudd et Mrs. Moon, de Marie comme une sorte d'hybride de gardienne de prison et d'infirmière psychiatrique ! Et puis, il y a le courrier. C'est un fait incontournable que le courrier arrive, et une fois qu'il est là, qui, mais qui, pourrait attendre les lettres jusqu'à onze heures ? »

---

6. **wardress** : terme spécifique : **warder, wardress**, *gardien (ienne) de prison.*

7. **mental** : **mental hospital** : *hôpital psychiatrique.*

8. **the post** : —*le courrier*— joue un rôle important —et révélateur— chez K.M. Ce sont les femmes qui attendent le courrier, l'ailleurs.

His eyes grew bright; he quickly, lightly clasped her. "*My* letters, darling?"

"Perhaps," she drawled, softly, and she drew her hand over his reddish[1] hair, smiling too, but thinking: "Heavens! What a stupid thing to say!"

But this morning she had been awakened by one great slam of the front door. Bang. The flat shook. What was it? She jerked up in bed, clutching the eiderdown[2]; her heart beat. What could it be? Then she heard voices in the passage. Marie knocked, and, as the door opened, with a sharp tearing rip out[3] flew the blind and the curtains, stiffening, flapping, jerking. The tassel of the blind knocked—knocked against the window. "Eh-h, *voilà!*" cried Marie, setting down the tray and running. "*C'est le vent, Madame. C'est un vent insupportable.*"

Up[4] rolled the blind; the window went up with a jerk[5]; a whity-greyish light filled the room. Monica caught a glimpse of a huge pale sky and a cloud like a torn shirt dragging across before she hid her eyes with her sleeve[6].

"Marie! the curtains! Quick[7], the curtains!" Monica fell back into the bed, and then "Ring-ting-a-ping-ping, ring-ting-a-ping-ping[8]." It was the telephone. The limit of her suffering was reached; she grew quite calm. "Go and see, Marie."

---

1. **reddish :** les messieurs ont souvent une chevelure roussâtre ou d'un roux flamboyant (cf. Stanley Burnell), chez K.M. Son père, Harold Beauchamp, était roux.

2. L'*eider* est un canard qui fournit un duvet (**down**) abondant. (sous-entendu : **quill,** qui ne s'exprime jamais). Un exemple de francisation réussie : *édredon.*

3. Le rythme de cette phrase est une merveille ; le texte éclate entre deux monosyllabiques (**rip out),** pour s'apaiser et s'alanguir avec la série des participes présents qui termine la phrase.

4. **up :** l'anglais place souvent une postposition en tête de phrase pour donner plus de relief, de vivacité, à l'action décrite.

Ses yeux brillèrent, il esquissa une brève étreinte. « Mes lettres, chérie ?

— Qui sait », dit-elle d'une voix douce et languissante, et elle lui passa les mains dans ses cheveux roussâtres, en souriant aussi, tout en pensant : « Seigneur ! Quelle ânerie à dire ! »

Mais ce matin, c'est un grand claquement de la porte d'entrée qui l'avait réveillée. Bang. L'appartement est ébranlé. Qu'est-ce que c'est ? Elle se redresse brusquement dans son lit, agrippant l'édredon ; son cœur bat. Qu'est-ce que cela peut bien être ? Puis elle entend des voix dans le couloir. Marie frappe, et au moment où la porte s'ouvre, dans l'éclair d'un brusque déchirement, gonflent soudain jalousie et rideaux, se raidissent, faseyent, donnent des saccades. Le gland du store tape, tape contre la fenêtre. « Eh là, *voilà* !, s'écrie Marie ; et déposant le plateau, elle se précipite. *C'est le vent, madame. C'est un vent insupportable.* »

Relevée, la jalousie, soulevée, la fenêtre, dans un hoquet ; une lumière d'un gris blanchâtre emplit la chambre. Monica entr'aperçoit un immense ciel blafard où traîne un nuage semblable à une chemise déchirée, et aussitôt se cache les yeux avec sa manche.

« Marie ! Les rideaux ! Vite, les rideaux ! » Monica se rejette dans son lit. ''Ring-ting-a-ping-ping, ring-ting-a-ping-ping.'' Le téléphone. Sa souffrance est à son comble ; elle prend sur elle. « Allez voir, Marie.

---

5. **jerk** : le mot **jerk** est le maître-mot du passage. **Monica jerks ; the blind and the curtains jerk ; the window jerks.**

6. **... sleeve** : la description est puissante avec une grande économie de moyens. La qualité de la lumière est notée avec acuité, ainsi que la force chaotique des éléments **(huge sky).**

7. **quick=quickly.**

8. **ring-ting-a-ping-ping** : encore une onomatopée élaborée.

"It is Monsieur. To know if Madame[1] will lunch at Princes' at one-thirty to-day." Yes, it was Monsieur himself. Yes, he had asked that the message be given to Madame immediately. Instead of replying, Monica put her cup down and asked Marie in a small wondering[2] voice what time is was. It was half-past nine. She lay still and half closed her eyes. "Tell Monsieur I cannot come[3]," she said gently. But as the door shut, anger—anger suddenly gripped her close, close, violent, half strangling her. How dared he? How dared[4] Ralph do such a thing when he knew how agonising her nerves were in the morning! Hadn't she explained and described and even—though lightly, of course; she couldn't say such a thing directly—given him to understand that this was the one unforgivable thing.

And then to choose this frightful windy morning. Did he think it was just a fad of hers, a little feminine folly to be laughed at and tossed aside? Why[5], only last night she had said: "Ah, but you must take me seriously, too." And he had replied: "My darling, you'll not believe me, but I know you infinitely better than you know yourself. Every delicate thought and feeling I bow to, I treasure. Yes, laugh! I love the way your lip lifts"—and he had leaned across the table—"I don't care who sees that I adore[6] all of you.

---

1. **Madame:** il y a toujours un élément de dérision légère dans cet emploi de **Monsieur, Madame**.

2. **wondering:** [wʌndəriŋ].

3. **come:** il est habile de ne pas donner à entendre les questions de Monica et de suivre le dialogue d'après les réponses de Marie. Le rythme vif de la scène est mieux rendu, et le couperet de la réponse finale de Monica, plus efficace.

4. **dared:** on sait que **to dare** est assimilé à un défectif. D'où l'absence d'auxiliaire dans l'interrogation et la négation; le fait aussi qu'il est suivi d'un infinitif incomplet.

— C'est Monsieur. Pour savoir si Madame voudra bien déjeuner chez Princes à une heure trente, aujourd'hui. » Oui, c'est Monsieur en personne. Oui, il a demandé qu'on fasse la commission à Madame immédiatement. Au lieu de répondre, Monica pose sa tasse et demande l'heure à Marie, d'une petite voix pensive. Il est neuf heures et demie. Elle reste immobile et clôt les paupières à moitié. « Dites à Monsieur que c'est impossible », dit-elle aimablement. Mais à peine la porte fermée, la colère, la colère brusquement l'étreint avec force, avec force, avec violence, presque à l'étrangler. Comment ose-t-il ? Comment Ralph ose-t-il faire une chose pareille, quand il sait à quelle torture la mettent ses nerfs, le matin ! Ne lui a-t-elle pas expliqué, décrit, et même donné à entendre (à vrai dire, sans insister, bien sûr ; impossible d'annoncer crûment pareille chose) que c'était la chose impardonnable par excellence ?

Et puis, aller choisir cette terrible matinée de vent. Ce n'était donc à ses yeux qu'une marotte, une petite lubie féminine dont on se gausse et qu'on écarte ? Pourtant, c'est bien hier au soir qu'elle lui a dit : « Ah, mais tu dois me prendre au sérieux, aussi. » Et qu'il a répondu : « Ma chérie, tu ne me croiras pas, mais je te connais infiniment mieux que tu ne te connais toi-même. Devant chaque pensée, chaque sentiment délicat je m'incline, plein de vénération. Oui, ris ! J'aime beaucoup la façon dont tes lèvres se retroussent (il s'est alors penché sur la table). J'adore tout de toi, peu m'importe qui s'en aperçoit.

---

5. **Why,** ainsi placé en début de phrase, a valeur exclamative : *Tiens, eh bien !* **Why, she would hang on him**... (Hamlet évoquant le spectacle de sa mère pendue au bras de son époux).

6. **adore :** Ralph y va à la truelle : **darling, treasure, love, adore**...

I'd be with you on mountaintop and have all the search-lights of the world play upon us."

"Heavens[1]!" Monica almost clutched her head. Was it possible he had really said that? How incredible[2] men were! And she had loved him—how could she have loved a man who talked like that. What had she been doing ever since that dinner party months ago, when he had seen her home[3] and asked if he might come and "see again that slow Arabian smile[4]"? Oh, what nonsense—what utter nonsense—and yet she remembered at the time a strange deep thrill unlike anything she had ever felt before.

"Coal! Coal! Coal! Old iron! Old iron! Old iron!" sounded from below. It was all over. Understand her? He had understood nothing. That ringing her up on a windy morning was immensely significant. Would he understand that? She could almost have laughed. "You rang me up when the person who understood me simply couldn't have." It was the end[5]. And when Marie said: "Monsieur replied he would be in the vestibule[6] in case Madame changed her mind," Monica said: "No, not verbena, Marie. Carnations. Two handfuls[7]."

A wild white morning, a tearing, rocking wind[8]. Monica sat down before the mirror. She was pale[9].

---

1. **Heavens**: Ralph manie l'hyperbole, sans complexe. Le souvenir de ses paroles arrache un deuxième **Heavens** à Monica.

2. **unbelievable** = **incredible** (racine latine), là où le français n'a qu'un mot.

3. **To see** a le sens *d'accompagner*. **I'll see you to the door. He saw the wounded to the hospital.**

4. **smile**: cela nous rappelle le **slow sodomic smile**, dans *Point Counter Point*, de Aldous Huxley. K.M. et lui étaient contemporains. John Middleton Murry a même servi de modèle à un personnage de Huxley, Burlap.

5. **It was all over. It was the end**: en termes familiers, on dira que Monica se monte la tête.

210

Je voudrais me trouver avec toi au sommet d'une montagne et être le point de mire de tous les projecteurs du monde. »

« Seigneur ! » Monica faillit se prendre la tête à deux mains. Est-il possible qu'il ait vraiment dit ça ? Que les hommes sont incroyables ! Et elle l'a aimé — comment a-t-elle pu aimer un homme qui parle de la sorte. Qu'a-t-elle fait depuis ce fameux dîner, vieux déjà de plusieurs mois, où il l'avait raccompagnée chez elle et lui avait demandé la permission de revenir « voir ce lent sourire des Mille et une Nuits » ? Oh, quelle ineptie — quelle parfaite ineptie — et cependant le souvenir est là de l'étrange et profond frisson si différent de tout ce qu'elle avait jamais éprouvé jusqu'a-lors.

« Charbon ! Charbon ! Charbon ! Vieilles ferrailles ! Vieilles ferrailles ! » monta de la rue. C'est fini, bien fini. La comprendre ? Il n'a rien compris. Cet appel par une matinée de grand vent revêt une signification immense. Et ça, le comprendrait-il ? Elle aurait pu se mettre à rire. « Tu m'as appelée alors que la personne qui m'aurait comprise n'aurait tout simplement pas pu le faire. » C'est la fin. Et quand Marie ajoute : « Monsieur a répondu qu'il serait dans le vestibule au cas où Madame changerait d'avis », Monica reprend : « Non, pas de verveine, Marie. Des œillets. Deux poignées. »

Une matinée furieuse et blanche, un vent de trombe et de tornade. Monica s'assied devant le miroir. Elle est pâle.

---

6. **vestibule** : ce terme est davantage « typically French » qu'anglais (mais il existe en anglais).

7. **two handfuls** : Monica se domine en présence de Marie. En outre, à quoi bon enregistrer ce message puisque tout est fini...

8. **...wind** : allitérations en w et [iŋ], **in** : bel effet de vent.

9. À la couleur blafarde et à la démence du ciel correspondent l'agitation intérieure et la pâleur de Monica.

The maid combed[1] back her dark hair—combed it all back—and her face was like a mask[2], with pointed eyelids and dark red lips. As she stared at herself in the bluish shadowy glass she suddenly felt—oh, the strangest, most tremendous excitement filling her slowly, slowly, until she wanted[3] to fling out[4] her arms, to laugh, to scatter everything, to shock Marie, to cry: "I'm free. I'm free. I'm free as the wind." And now all this vibrating, trembling, exciting, flying world was hers[5]. It was her kingdom. No, no, she belonged to nobody but Life.

"That will do, Marie," she stammered. "My hat, my coat, my bag. And now get me a taxi." Where was she going? Oh, anywhere. She could not stand this silent flat, noiseless Marie, this ghostly[6], quiet, feminine interior. She must be out[7]; she must be driving quickly—anywhere, anywhere.

"The taxi is there, Madame." As she pressed open the big outer doors of the flats the wild wind caught her and floated her across the pavement. Where to? She got in, and smiling radiantly at the cross, cold-looking driver, she told him to take her to her hairdresser's. What would she have done without her hairdresser? Whenever Monica had nowhere else to go to or nothing on earth to do she drove there. She might just have her hair waved, and by that time she'd have thought out a plan.

---

1. **combed**: [koumd].
2. **mask**: dans *L'Aloès,* K.M. nous fait assister à une longue séance de coiffage, élaborée et sensuelle. Dans cette scène, c'est la coiffeuse (occasionnelle), Nannie, dont le visage est décrit comme **a round sleeping mask.** C'est toujours l'occasion d'un engourdissement.
3. **wanted**: a le sens fort de : *avoir envie* (une envie irrépressible).
4. **to fling out one's arm**: *étendre le bras d'un grand geste.* **To fling s.o. out** (familier): *flanquer qqn à la porte.*

La bonne peigne en arrière, tout en arrière, ses cheveux noirs, et son visage apparaît comme un masque, paupières pointues et lèvres rouge sombre. Tandis qu'elle se regarde fixement dans la glace bleuâtre indistincte, elle sent tout à coup... oh, l'excitation la plus étrange, la plus folle, l'envahir lentement, lentement, jusqu'à lui donner envie de lancer les bras en l'air, de rire, de tout jeter à la volée, de scandaliser Marie, de crier : « Je suis libre. Je suis libre. Je suis libre comme le vent. » Voilà que tout ce monde qui vibre, tremble, enflamme, jaillit, est sien. C'est son royaume. Non, non, elle n'appartient à personne qu'à la Vie.

« C'est assez, Marie, balbutie-t-elle. Mon chapeau, mon manteau, mon sac. Voilà, allez me chercher un taxi. » Où allait-elle ? Oh, n'importe où. Elle ne peut pas supporter cet appartement feutré, la silencieuse Marie, cet intérieur féminin tranquille, fantomatique. Dehors, il le faut ; qu'on la conduise à vive allure — n'importe où, n'importe où.

« Le taxi est là, Madame. » À l'instant où elle ouvre, par pression, les grands avant-portails, le vent fou s'empare d'elle et la fait flotter à travers le trottoir. Quelle adresse ? Elle monte, et avec un sourire radieux à l'intention du chauffeur maussade et glacé, elle lui demande de la mener chez son coiffeur. Que serait-elle devenue sans son coiffeur ? Chaque fois que Monica n'a nulle part où aller ni rien de rien à faire, elle s'y fait conduire. Elle pourrait demander une simple ondulation, ce qui lui donnera le temps d'échafauder un plan.

---

5. **...was hers** : Tous ces gestes exubérants sont très intériorisés, puisque l'auteur a pris soin de nous dire que le visage de Monica était **like a mask** pendant toute la scène. Le contraste est vigoureux.

6. **ghostly** : en opposition à la vraie vie qu'elle sent palpiter en elle, en harmonie avec le tourbillon des éléments.

7. **out** : cf. l'expression : **murder will out** : *la vérité tôt ou tard se fait jour.*

The cross, cold driver drove at a tremendous pace, and she let herself be hurled from side to side. She wished he would go faster and faster. Oh, to be free of Princes' at one-thirty, of being the tiny kitten in the swansdown basket, of being the Arabian, and the grave, delighted child and the little wild creature[1]... "Never again," she cried aloud, clenching her small fist. But the cab had stopped, and the driver was standing holding the door open for her.

The hairdresser's shop was warm and glittering. It smelled of soap and burnt paper and wallflower brilliantine. There was Madame[2] behind the counter, round, fat, white, her head like a powder-puff rolling on a black satin pin-cushion. Monica always had the feeling that they loved her in this shop and understood her—the real her— far better than many of her friends did. She was her real self here, and she and Madame had often talked—quite strangely—together. Then there was George who did her hair, young, dark, slender George. She was really fond of him.

But to-day—how curious! Madame hardly greeted her. Her face was whiter than ever, but rims of bright red showed round her blue bead eyes[3], and even the rings on her pudgy[4] fingers did not flash. They were cold, dead, like chips of glass[5]. When she called through the wall-telephone to George there was a note in her voice that had never been there before.

---

1. **...creature**: la dérision réside dans l'énumération.

2. **Madame**: titre professionnel, un peu ridicule. La suite de la description accentue l'effet de moquerie — gratuite, d'ailleurs, puisqu'il s'avère que l'on cause agréablement avec « Madame ».

3. Ces **bead eyes**, K.M. les note souvent (cf. *Carnation*).

4. **pudgy**: l'esprit caustique ravageur de K.M. a souvent été noté par ses contemporains.

Le chauffeur maussade et froid roule à folle allure, elle se laisse ballotter de côté et d'autre. Elle voudrait le voir aller de plus en plus vite. Oh, être débarrassée de Princes à une heure trente, ne plus être le tout petit chaton dans sa corbeille de duvet de cygne, l'Orientale, l'enfant à l'air grave et rayonnant, la petite créature sauvage... « Jamais plus », s'écrie-t-elle en serrant son petit poing. Mais le taxi s'est arrêté et le chauffeur est là, debout, à lui tenir la portière ouverte.

Le salon de coiffure est tiède et scintillant. Il sent le savon, le papier brûlé, la brillantine à la giroflée. Derrière le comptoir se tient Madame, ronde, grasse, blanche, la tête comme une houppe roulant sur une pelote à épingles de satin noir. Monica s'est toujours sentie aimée dans ce salon, comprise — son vrai moi — infiniment mieux que par bon nombre de ses amies. Elle y est elle-même véritablement; chose curieuse, une conversation s'est souvent établie entre Madame et elle. Et puis, il y a George qui la coiffe, le jeune George, svelte et brun. Elle a vraiment de la tendresse pour lui.

Mais aujourd'hui, comme c'est étrange ! C'est à peine si Madame la salue. Son visage est plus blanc que jamais, marqué pourtant de cercles rouge vif autour de ses yeux de perle bleue; et même les bagues sur ses doigts rondelets ne brillent pas. Elles restent froides, comme des éclats de verre. Lorsqu'elle appelle George par le poste téléphonique mural, sa voix est porteuse d'une note inconnue jusqu'à présent.

---

5. **glass**: le procédé qui consiste à animer l'objet proche des sentiments ou impressions ressentis par l'être humain revient fréquemment chez K.M. Tout est exceptionnellement terne, éteint, aujourd'hui, y compris les bagues de Madame. De même, dans *Carnation*, la chaleur accablait tout dans la classe, y compris l'horloge, dont les aiguilles semblaient prises de faiblesse...

But Monica would not believe this. No, she refused to. It was just her imagination. She sniffed greedily the warm, scented air, and passed behind the velvet curtain into the small cubicle[1].

Her hat and jacket were off and hanging from the peg, and still George did not come. This was the first time he had ever not been there to hold the chair for her, to take her hat and hang up her bag[2], dangling[3] it in his fingers as though it were something he'd never seen before—something fairy. And how quiet the shop was! There was not a sound even from Madame. Only the wind blew, shaking the old house; the wind hooted[4], and the portraits of Ladies of the Pompadour Period looked down and smiled, cunning and sly[5]. Monica wished she hadn't come. Oh, what a mistake to have come! Fatal. Fatal[6]. Where was George? If he didn't appear the next moment she would go away. She took off the white kimono. She didn't want to look at herself any more. When she opened a big pot of cream on the glass shelf her fingers trembled. There was a tugging feeling at her heart as though her happiness— her marvellous happiness—were trying to get free[7].

"I'll go. I'll not stay." She took down her hat. But just at that moment steps sounded, and, looking in the mirror, she saw George bowing in the doorway. How queerly he smiled! It was the mirror, of course. She turned round quickly.

---

1. **cubicle**: *cabine* (de piscine, par exemple) est aussi une *alcôve* de dortoir. C'est dans un tel lieu confiné que se passe, dans *L'Aloès*, une scène "équivoque" de brossage entre Beryl Fairfield et une camarade de pension.

2. **hang up her bag**: plus que de la déférence, c'est du maternage qu'elle attend.

3. **dangling arms (legs)**: bras ballants (jambes).

4. **hoot**: *ululement* (hibou); *huée* (de dérision); familier (N.-Zélande): *pognon*. **I don't care a hoot**: *je m'en fiche complètement*.

Mais Monica ne veut pas ajouter foi à ça. Non, elle s'y refuse. Elle hume avidement l'air tiède et parfumé, et la voilà derrière le rideau de velours, dans la petite cabine.

Chapeau et jaquette sont retirés, suspendus à la patère, et George ne vient toujours pas. C'est bien la première fois qu'il n'est pas là pour lui avancer le fauteuil, la débarrasser de son chapeau, et suspendre son sac après l'avoir fait tournoyer au bout de ses doigts comme si c'était quelque chose qu'il n'avait jamais vu, quelque chose de magique. Et quel silence dans le salon ! Pas un bruit, pas même la voix de Madame. On n'entend que le vent, qui fait trembler la vieille maison ; le vent mugit, et les portraits des Dames du Temps de la Pompadour baissent les yeux et sourient, rusés, sournois. Monica regrette d'être venue. Oh, quelle erreur, d'être venue ! Fatale. Fatale. Où est George ? S'il ne se montre pas dans la minute qui suit, elle s'en ira. Elle enlève le kimono blanc. Elle ne veut plus se regarder. En ouvrant un grand pot de crème qu'elle prend sur la tablette de verre, ses doigts tremblent. Elle ressent un déchirement au cœur, comme si son bonheur, son merveilleux bonheur, tentait de se libérer.

« Je m'en vais. Je ne veux pas rester. » Elle décroche son chapeau. Mais juste à ce moment, résonnent des pas, et d'un regard dans la glace, elle voit George saluer, dans l'embrasure de la porte. Quel étrange sourire ! La faute du miroir, sans doute. Elle se retourne vivement.

---

5. **sly** : l'atmosphère devient soudain **disquieting**. Le vent prend possession du silence anormal ; les portraits s'animent et grimacent (noter la répétition de : **wind**).

6. **fatal** : la chute de la nouvelle est annoncée ici.

7. **get free** : ce fut le souci permanent — et dévorant — de K.M., de rendre le moindre frisson de la vie intérieure, le moindre mouvement de l'âme... et sa grande contribution à la littérature.

His lips curled back in a sort of grin, and—wasn't he unshaved?—he looked almost green in the face.

"Very sorry to have kept you waiting," he mumbled, sliding, gliding forward.

Oh no[1], she wasn't going to stay. "I'm afraid," she began. But he had lighted the gas and laid the tongs[2] across, and was holding out the kimono.

"It's a wind," he said. Monica submitted. She smelled his fresh young fingers pinning the jacket under her chin. "Yes, there is a wind," said she, sinking back[3] into the chair. And silence fell. George took out the pins in his expert way. Her hair tumbled back, but he didn't hold it as he usually did, as though to feel how fine and soft and heavy it was[4]. He didn't say it "was in a lovely condition." He let it fall, and, taking a brush out of a drawer, he coughed[5] faintly, cleared his throat and said dully: "Yes, it's a pretty strong one, I should say it was[6]."

She had no reply to make. The brush fell on her hair. Oh, oh, how mournful, how mournful[7]! It fell quick and light, it fell like leaves; and then it fell heavy, tugging like the tugging at her heart. "That's enough," she cried, shaking herself free.

"Did I do it too much?" asked George. He crouched over the tongs. "I'm sorry." There came the smell of burnt paper—the smell she loved—and he swung the hot tongs round in his hand[8], staring before him. "I shouldn't be surprised if it rained."

---

1. **oh no**: un peu de mauvaise foi. Monica devra savoir qu'à la vue — même étrange — de George, son envie de partir s'éteint.

2. **tongs**: *pinces, tenailles*: **(curling) tongs**: *fer (à friser)*. Objet de brocante, désormais.

3. Elle **submits, sinks back**, s'en remet aux **fresh young fingers** (de l'ustensilité de George).

4. **soft and heavy**: la chevelure et les soins qu'elle exige sont des moments sensuels dans l'œuvre de K.M. *Prelude* et *L'Aloès* recèlent une longue scène de coiffage entre deux jeunes filles, à forte composante homosexuelle.

Il a les lèvres retroussées en une sorte de rictus, et... probablement n'est-il pas rasé ? Son visage a presque viré au vert.

« Tout à fait désolé de vous avoir fait attendre », marmonne-t-il en se glissant à pas feutrés dans la cabine.

Oh, non, elle ne va pas rester. « J'ai bien peur... » commence-t-elle. Mais il a déjà allumé le gaz, mis les fers à chauffer dessus, et lui présente le kimono.

« Il fait un vent », dit-il. Monica se soumet. Elle respire les doigts frais et jeunes qui lui épinglent le peignoir sous le menton. « Oui, il y a du vent », dit-elle en s'enfonçant dans le fauteuil. Et le silence tombe. George retire les épingles avec son habileté coutumière. La chevelure se déploie, mais il ne la saisit pas, ce qu'il fait d'habitude pour en sentir toute la finesse, toute la douceur, tout le poids. Il ne dit pas « elle est en excellent état ». Il la laisse se défaire et, prenant une brosse dans un tiroir, il toussotte, s'éclaircit la voix et dit d'un ton morne : « Oui, il est pas mal fort, je dirais. »

Elle n'a rien à répondre. La brosse s'abat sur ses cheveux. Oh, oh, lugubre, mais lugubre ! Elle tombe vive et légère, elle tombe comme des feuilles ; puis elle tombe lourde, avec ce même tiraillement qui déchire son cœur. « Cela suffit », s'écrie-t-elle en se dégageant d'une secousse.

« Ai-je été trop fort ? », demande George. Il s'arcboute sur les fers. « Je suis désolé. » Voilà l'odeur du papier brûlé, l'odeur qu'elle adore, il fait tournoyer les fers chauds dans sa main, les yeux fixés devant lui. « Je ne serais pas surpris s'il pleuvait. »

---

5. **cough** : [kɔf].

6. **it was** : le vent, comme toile de fond sonore, pour remplir le silence et l'isolement des êtres, leur impossibilité de communiquer.

7. **mournful** : elle ne croit pas si bien dire. **Mourning** : *affliction, deuil.* **To mourn for somebody** : *pleurer la mort de qqn.*

8. **...in his hand** : ...pour qu'ils refroidissent un peu.

He took up a piece of her hair[1], when—she couldn't bear it any longer—she stopped him. She looked at him; she saw herself looking at him in the white kimono like a nun[2]. "Is there something the matter here? Has something happened?" But George gave a half-shrug and a grimace[3]. "Oh no, Madame. Just a little occurrence." And he took up the piece of hair again. But, oh, she wasn't deceived. That was it. Something awful had happened. The silence—really, the silence seemed to come drifting down like flakes of snow. She shivered. It was cold in the little cubicle, all cold and glittering[4]. The nickel taps and jets and sprays looked somehow almost malignant. The wind rattled the window frame; a piece of iron[5] banged, and the young man went on changing the tongs, crouching over her. Oh, how terrifying Life was, thought Monica. How dreadful. It is the loneliness which is so appalling[6]. We whirl along like leaves, and nobody knows—nobody cares where we fall, in what black river we float away. The tugging feeling seemed to rise into her throat. It ached, ached; she longed to cry. "That will do," she whispered. "Give me the pins." As he stood beside her, so submissive[7], so silent, she nearly dropped her arms and sobbed. She couldn't bear any more. Like a wooden man the gay young George still slid, glided, handed her her hat and veil, took the note, and brought back the change.

---

1. **a piece of hair** : comme on prendrait un bout de pain, ou un morceau de papier. C'est on ne peut plus neutre, ça ne mérite même pas le nom de : **tuft of hair**, ou de **lock**...

2. **like a nun** : la réaction qui s'ensuit est logique.
La relation discrètement sensuelle avec le **young dark slender George** ne s'établira pas aujourd'hui. **Like a nun** vient renforcer cette certitude.

3. **grimace** : [gri'meis].

4. Le silence véhicule l'image des flocons, qui fait frissonner Monica. Le salon n'est plus, comme au début, **warm and glittering**, mais **cold and glittering**.

Il soulève une mèche lorsque... elle ne peut supporter cela plus longtemps... elle l'arrête. Elle le regarde ; elle se voit le regarder, dans ce kimono blanc, une vraie nonne. « Il s'est passé quelque chose ici ? Il est arrivé quelque chose ? » Mais George fait un léger haussement d'épaules et une grimace. « Oh, non, madame. Un petit événement, simplement. » Et il reprend la mèche de cheveux. Ah, mais elle n'est pas dupe. C'est bien ça. Il est arrivé quelque chose d'affreux. Le silence..., oui, vraiment, le silence semble s'amonceler comme des flocons de neige. Elle frissonne. Il fait froid dans la petite cabine, étincelante et glacée. D'une certaine façon, les robinets, jets, vaporisateurs de nickel ont presque un air de malveillance. Le vent fait cliqueter le châssis de la fenêtre ; un morceau de fer cogne, et le jeune homme continue à changer les fers, arcbouté au-dessus d'elle. Oh, combien la vie est terrifiante ! songe Monica. Combien épouvantable. Nous sommes pris dans un tourbillon, comme des feuilles, et personne ne sait, personne ne se demande où nous tombons, dans quelle rivière noire nous dérivons. La sensation de déchirement semble lui monter dans la gorge. C'est douloureux, très douloureux ; elle a envie de crier. « Cela ira, dit-elle dans un murmure. Donnez-moi les épingles. » Tandis qu'il se tient là à ses côtés, si soumis, si muet, elle est sur le point de laisser retomber ses bras et d'éclater en sanglots. Elle n'en peut plus. Tel un pantin de bois, le jeune et joyeux George glisse, plane toujours, lui tend son chapeau et sa voilette, prend le billet, rapporte la monnaie.

---

5. **iron** : ce morceau de fer qui cogne revient souvent, toujours aussi imprécis, dans *Le vent souffle*, dans *Prelude*, dans *L'Aloès*.

6. **awful, terrifying, dreadful, appalling** : Monica, hypersensible, hyperémotive, est la proie de ses états d'âme.

7. **submissive** : ce n'est pas d'ordinaire le rôle de George, d'être **submissive**, mais plutôt celui de Monica.

She stuffed[1] it into her bag. Where was she going now?

George took a brush. "There is a little powder on your coat," he murmured. He brushed it away. And then suddenly he raised himself and, looking at Monica, gave a strange wave with the brush and said: "The truth is, Madame, since you are an old customer—my little daughter died this morning. A first child"—and then his white face crumpled like paper, and he turned his back on her and began brushing the cotton kimono. "Oh, oh," Monica began to cry. She ran out of the shop into the taxi. The driver looking furious, swung off the seat and slammed the door again. "Where to[2]?"

"Princes'," she sobbed. And all the way there she saw nothing but a tiny wax doll with a feather of gold hair, lying meek, its tiny hands and feet crossed. And then just before she came to Princes' she saw a flower shop full of white flowers. Oh, what a perfect thought[3]. Lilies-of-the-valley, and white pansies, double white violets and white velvet ribbon... From an unknown friend... From one who understands... For a Little Girl... She tapped against the window, but the driver did not hear; and, anyway, they were at Princes'[4] already.

---

1. **stuffed**: foin de ces formalités : **she stuffs it**, à la hâte, sans soin (pas de pourboire pour George?). En esprit, elle est déjà partie. Ses interrogations sont terminées. Un tantinet égoïste, Monica.

2. Reprend ironiquement le **where to** du début. La boucle est bouclée. Entre ces deux **where to** grognons, elle a symboliquement quitté sa vie, et est retournée en son sein.

3. **perfect thought**: la fin est cruelle. Elle se rend, en fin de compte, chez Princes. Elle attitudinise, intérieurement, se contemple en compatissante. C'est "la limace sous la feuille", que K.M. s'attache toujours à découvrir.

4. **Princes'**: la chute est sévère. Autant en emporte le vent.